Y0-AET-580

Сергей Ковалев

КАК ЖИТЬ, ЧТОБЫ ЖИТЬ

или

основы экзистенциального нейропрограммирования

Как бы учебник счастливой жизни

Твои книги
Москва
2015

ББК 88.4
УДК 159.92
К 56

Ковалев С.В.

Как жить, чтобы жить или основы экзистенциального нейропрограммирования. — М.: Твои книги, 2015. — 240 с.

ISBN 978-5-903881-35-2

Новая книга всемирно известного российского психотерапевта и психолога посвящена рассказу о созданной им новой науке: экзистенциальном нейропрограммировании (ЭНП). Области современной прикладной психологии и практической психотерапии, позволяющей любому человеку обрести благополучие, эффективность и счастливость, перейдя из тоскливого выживания к жизни как таковой.

Для психотерапевтов, практических психологов, консультантов, коучей, врачей, педагогов, а также всех, кто хотел бы сделать свою жизнь полноценной, цельной, осмысленной, неизбывно интересной и просто приятной…

Никто никогда не создавал новых идей. Любая новая идея выкристаллизовывается из идей, рожденных тысячами людей. А потом какой-то человек вдруг придумывает нужное слово, правильное выражение новой идеи. И как только появляется слово, сотни людей понимают, что они уже давно об этом думали.

Б. Травен

До тех пор, пока ты не принял окончательного решения, тебя будут мучить сомнения. Ты будешь все время помнить о том, что есть шанс повернуть назад, и это не даст тебе работать эффективно. Но в тот момент, когда ты решишься полностью посвятить себя своему делу, Провидение оказывается на твоей стороне. Начинают происходить такие вещи, которые не могли бы случиться при иных обстоятельствах... На что бы ты ни был способен, о чем бы ты ни мечтал, начни осуществлять это. Смелость придает человеку силу и даже магическую власть.

И. Гете

Путешественник, дорога будет там и только там, где лягут твои следы, путешественник, дорог нет. Дороги прокладывают идущие по ним.

А. Мачадо

Человек, который не стремится к Небу,
обречен пресмыкаться на Земле.

Патриарх Кирилл

ПРИТЧА,
которую я сочинил сам и специально для этой книги

...Об этом знают немногие. О том, что задолго до того, как люди, возгордившись, решили построить Вавилонскую башню, дабы с ее помощью достать до небес, Бог уже выстроил все, что было им необходимо. Величественное сооружение, фундаментом которого была Земля, а крышей — Небо. Здание из четырех уровней по девять этажей в каждом (итого их было тридцать шесть). И собрал Господь людей возле этого Дома, и сказал, а, точнее, изрек.

— Вот перед вами Дом Вашей Реальности. Он протянулся от Земли до Небес, и оттого этажи его заметно различаются по качеству жизни. Например, на самом первом из них ваш взгляд будет упираться в помойки — мусор и отбросы вашей собственной жизни. А на тридцать шестом вы будете видеть одно только Небо, и никакая скверна Дна Жизни не сможет вам даже просто напомнить о себе... Конечно, все вы хотели бы сразу поселиться как можно выше (хотя и не все — совсем высоко). Но сие надо заслужить. И посему каждый из четырех уровней скрывает в себе смысл и тайну, каковые вы должны постичь. Те, кто живет на самом нижнем, первом уровне, обязаны понять правила и принципы праведной жизни. Те, кто живут на втором — познать факты и логику данного Мира, дабы быть не только праведным — уж слишком много у вас, людей, правд! — но еще и преуспевающим. На третьем уровне, вам надлежит открыть мир чувств и ценностей, чтобы понять, что есть главное в вашей жизни. А на четвертом, самом высоком — открыться миру идей и возможностей, открыть Себя для Меня и Меня для Себя, и просто стать Сотворцом. Дабы, закончив земной путь, уйти — в иные миры. Где будут новые реальности, здания, уровни и этажи.

Некоторым из вас повезет больше других. Потому что, даже не помня об этом, они уже жили в Доме Этой Реальности. И возвращаются сюда вполне готовыми к тому, чтобы родиться сразу на втором, третьем и даже четвертом уровне. Но время неумолимо. И не только в реку, но даже и в одну и ту же реальность нельзя войти дважды. Все меняется, отчего всем вам придется заново обустраиваться, начиная с первого уровня. А тем, кому повезло сделать это еще в прошлых жизнях, просто быстрее других достигнут Небес. И станут Выпускниками Университетов Этого Мира.

— И еще одно, — молвил Господь после непродолжительного молчания. — В каждом уровне не случайно присутствует девять этажей, которые вам также надлежит пройти. Ибо на первом — всякий раз, на любом из уровней — вы будете осваивать ваше окружение. На втором — учиться в нем действовать. На третьем — находить новые способы и способности. На четвертом — понимать, чего вы, собственно, хотите. На пятом — зачем вам это желаемое надо. На шестом — почему всего этого надобно хотеть. На седьмом — кто вы есть. На восьмом — зачем вы нужны Миру. А на девятом — зачем Мир нужен вам. И этот девятый этаж каждого уровня, по его прохождению будет превращаться в первый этаж уровня следующего. И так — до тех пор, пока вы не пройдете все четыре уровня жизни и все тридцать шесть этажей. И открывшиеся Небеса сделают вас бессмертными и идущими ко мне навстречу. Чтобы когда-то, не скоро, может быть, даже через миллионы лет, дать вам познать, что вы и Я — не просто едины, но даже одно целое...

И внимали люди Богу: молча и благоговейно. Но нашлись среди них и те, кто в дерзновении своем осмелился спросить:

— А зачем нам тяжкий Путь на вершину твоего Дома, если Небеса нас не интересуют, и земная юдоль вполне даже устраивает?.

Не осерчал Господь, а только рассмеялся.

— Да затем, неразумные чада мои, что не поднявшиеся по всем четырем уровням, вы никогда не познаете полного счастья. Ибо прохождение первого из них позволит вам обрести спокойс-

твие — и только. Второй подарит вам еще и безмятежность, а также осознание того, что все как надо в этом лучшем из миров (хотя на самом деле он далеко не лучший!). Но только уровень третий одарит вас счастьем бытийности: блаженной радости существования, без которой самая удачная жизнь бедна и бледна. А четвертый, заключительный, уровень даст вам Божественную Любовь ко всему во Вселенной. От коей один шаг до единения с собой, другими, миром и мною. И это еще не все, но вполне достаточно для умных...

Запомните все это, люди. Ибо в вашем мире все будет так и только так...

— Хорошо, — дружным хором ответили люди. Но очень скоро, занятые суетными делами краткосрочной земной жизни, забыли все, что им сказал Бог по поводу сути их собственной жизни.

А я не забыл. И очень хочу вам все это напомнить...

ВМЕСТО ПРЕДИСЛОВИЯ ИЛИ ЗАЧЕМ ВАМ ЭТА КНИГА

Жизнь — это тайна, которую надо постичь или проблема, которую нужно решить?

П. Янг

Однажды некий мастер дзен шел по рынку, хохоча и громогласно возвещая: «Жизнь прекрасна!»

— Да как ты можешь так говорить? — накинулся на него один из торговцев. — Я пашу с утра до вечера, зарабатываю гроши, и притом должен содержать жену-уродину и двух балбесов-сыновей. Жизнь — это дерьмо!

— Ты прав, — выслушав его, ответствовал мастер. — Т в о я жизнь — дерьмо...

Скажите, а как вы отреагировали на вышеприведенную притчу? Просто посмеялись? Или все-таки задумались?

Если только лишь посмеялись, то ничего, кроме бессмертного: «Над чем смеетесь? Над собой смеетесь!», я вам далее не сообщу. И потому настоятельно рекомендую поставить эту книгу обратно на полку — она не про вас и не для вас...

Если все же задумались, то тогда и у меня, и у вас есть реальные и весомые поводы для радости. У меня — потому что книга эта нашла своего читателя. И у вас — т. к. вы, читатель, нашли свою книгу. Ту, которая объяснит вам, почему живущие рядом, буквально бок о бок люди (и даже обладающие равным достатком), могут жить как бы совершенно разными по качеству жизнями. А также расскажет о том, как свою собственную жизнь сделать не только хоть чуть более эффективной и счастливой (об этом я и так уже много писал), но еще и просто полноценной, цельной, осмысленной, неизбывно интересной и очень-очень приятной...

Информация обо всем этом именно сейчас ну просто совершенно необходима. Потому что «Времена не выбирают. В них живут и умирают» — с гениальной прозорливостью заметил как-то известный поэт. Так вот — мы тоже не выбирали это время. Но вынуждены жить именно в нем. В ну очень интересном времени. Правда, более всего только в одном смысле. Древнего (и, похоже, вечного...) китайского проклятия: «Что б ты жил в интересное время...».

Прямо на наших глазах рушится практически все. Политическое устройство мира. Экономическая его стабильность. Иллюзия социальной гармонии. Религиозная и культурная толерантность (терпимость к инакомыслию). И, конечно же, индивидуальная психологическая устойчивость: ощущение осмысленности, необходимости и просто *безопасности* собственного существования.

Все так плохо, что иногда кажется, что выхода из экзистенционального тупика, в котором мы оказались, просто не существует. И мы обречены либо бесконечно выживать в безумной атмосфере тотального кризиса, либо (это если повезло, и ранее вы оказались в нужное время и в нужном месте) бездумно проживать (прожигать) свою жизнь. И в том, и в другом случае — по сомнительному принципу: «Жить нужно (и можно) так, чтобы больше не хотелось...».

Так вот: эта книга дарит вам один из возможных (только один, но возможный!) вариант выхода из вышеизложенной безнадеги: от выживания и проживания к жизни как таковой. Выход, который совершенно не связан с уровнем материального благосостояния (хотя у всех, кто его выбрал, оно — это самое состояние — неуклонно и всенепременно повышается). И не предполагает ухода в религиозные догматы или эзотерические бредни (однако всегда и везде, естественно и непреложно позволяет этому человеку обрести Бога...). Имя этого выхода — ***экзистенциональное нейропрограммирования***. Новая (новейшая!) наука. Область современной прикладной психологии и практической психотерапии, само название которой очень точно передает ее смысл. «Экзистенциональное» значит, что данная система знаний и теоретически, и практически ориентирована на жизнь человека, качество его экзистенции, эффективность, благополучие и счастливость всех направлений и этапов жизненного пути. «Нейропрограммирование» же означает, что для того, чтобы это самое истинное жизненное благополучие оказалось достигнуто, вам надлежит всего-навсего перепрограммировать свои мозги, сиречь нейросеть. Которые (и которая) у вас, буде вы не очень-то эффективны и совсем даже несчастливы, запрограммированы не так, как надо для полноценной жизни (подлинной экзистенции). И вы обречены выживать, потому что *обусловлены* делать это и только это. В силу глупых карт и неудачных программ, втиснутых в вашу бедную голову (и не только в нее) неудачливыми программистами. В том числе (или во-первых) — вашими родителями. Которые передали вам карты и программы, полученные от своих родителей. Но — живших в совершенно другое время. В абсолютно другой стране и мире. В иных реалиях бытия. И даже по другим ценностям и убеждениями…

Однако все не так уж безнадежно. И как показывает мой многолетний опыт работы, для того, чтобы переделать свою жизнь, вовсе не обязательно проживать ее заново. Достаточно всего-навсего пары десятков часов интенсивного перепрограммирования. И тогда окажется, что, казалось бы, высеченная на скрижалях книга вашей жизни суть всего-навсего черновик, который запросто может быть переписан. Так вот о том, что для этого надо знать, а что — делать я и пишу в данной книге. Не случайно названной «Как жить, чтобы жить…».

ВМЕСТО ВВЕДЕНИЯ, ИЛИ О ТОМ, КАК ВСЕ НАЧИНАЛОСЬ И РАЗВИВАЛОСЬ

Тот, кто ответил себе на вопрос: «Зачем жить?», сможет вытерпеть почти любой ответ на вопрос: «Как жить?»

Ф. Ницше

Вначале было НЛП. Пресловутое и почем зря ругаемое (и одновременно всуе превозносимое) нейро-лингвистическое программирование. Гениальное (на самом деле) творение Дж. Гриндера и Р. Бэндлера «со товарищи», о котором большинство хулителей знали примерно так же (и столько же), сколько еврей из анекдота о плохо поющем Карузо, которого сам не слышал, но Моня вчера напел… Наука, впервые позволившая осуществлять быстрые и масштабные изменения состояния, поведения и деятельности человека без утомительного словоблудия околонаучного толка. Область прикладной психологии, которая едва ли не впервые постулировала удивительно продуктивную истину: для того, чтобы что-либо изменить, не обязательно знать, что именно изменять и почему. Важно (и нужно) знать, как изменять…

Удивлены и даже не согласны? Да бросьте — вы ж ведь не обязательно тот самый психолог, который всю жизнь изучал, что и почему в психике человека, но так и не удосужился узнать, как эту самую психику изменять. Для вас хватит простого примера. Для того, чтобы завести машину, вовсе не обязательно знать, что и почему при этом происходит (например, термодинамику, на которой основывается работа двигателя внутреннего сгорания). Достаточно уразуметь, как это делать — например, посредством ключа, который суется в замок зажигания…

Будучи свободным от всяческих предрассудков академической психологии, а заодно и решившим не теоретизировать по поводу качественных различий (почему у одного лучше, а у другого хуже) в человеческой жизнедеятельности, а сразу моделировать тех, у кого лучше (для последующего переноса и распространения среди тех, у кого пока хуже), НЛП создало (а точнее — наплодило…) кучу прекрасно работающих методов изменения человека. При этом оно не стеснялось, как бы это сказать, повежливее, *ремоделировать* психотехнологии из других областей: все то, что плохо лежало, но хорошо работало. Так что я, открывши нейролингвистическое программирование еще в конце прошлого тысячелетия (как звучит!), на несколько лет стал его полным апологетом и приверженцем.

А потом наступило разочарование. Сначала, правда, не в самом НЛП, а в его российских (и не только российских) носителях и представителях. Какие-то не такие они оказались: мелкотравчатые, что ли. И как-то не так использовали нейролингвистическое программирование: для всяких глупостей типа гарантированных отъема денег и «съема» девушек. При этом об исходной цели НЛП — психотерапии (см., например, /4/) — забыли настолько, что пришлось как бы заново создать самостоятельно «психотерапевтическое» нейропрограммирование, ныне именуемое NLPt (нейролингвистическая психотерапия).

А затем я разочаровался и в самом нейролингвистическом программировании. Нет, не в его действительно уникальных методах, а в методологии данной прикладной науки. В ее излишней прагматичности и направленности только лишь на успех. В ее поверхностности и подчеркнутой атеоретичности. В ее претенциозности в объяснении всего и вся, но откровенной жалкости при практическом применении в руках не понимающих, зачем все это, профанов. И сначала создал собственную версию науки о программировании поведения и деятельности человека: Восточную версию нейропрограммирования. А потом и мета-метод работы по изменению внутренней и внешней реальности: нейротрансформинг. Ну а далее я, видимо, просто вырос — может быть даже, перерос сам себя. И заинтересовался уже не благополучием человека (возможно, потому, что, благодаря ВВН, я смог стать ну очень благополучным), а экзистенцией, сиречь бытием человека. Его законами и закономерностями, каковые превращают обычную жизнь в факт вселенского масштаба. Но не потому, что вы в ней что-то там натворили. А потому, что прожили ее эффективно и с удовольствием. И умудрились в процессе оного проживания не только выживать, но еще и жить…

Дабы понять, что, где, как, а заодно и почему (и почем), вернемся в недалекое прошлое. К тому, что до сих пор обозначается как

Восточная версия нейропрограммирования. Не слишком удачно названная (каюсь — мне всегда легче что-либо изобрести, нежели потом это красиво назвать) система (модальность) психотерапии. В основу которой были положены следующие, ныне уже почти расхожие, но тогда ох какие новые, положения (ну очень кратко).

1. Главной целью человеческой жизни является обретение благополучия.

2. Благополучие любого человека проявляется и реализуется за счет

– эффективности и

– счастливости.

3. Эффективность любого же человека определяется его совершенством. А вот счастливость — удачливостью как способностью достигать желаемых целей в кратчайшие сроки (и оказываться в нужное время в нужном месте).

4. В свою очередь, совершенство человека определяется качеством программ его жизнедеятельности, в то время как удачливость — адекватностью присущих ему карт реальности: представлений о себе, других, мире и Боге.

5. Именно карты человека образуют вторичную реальность его жизни — более реальную, чем даже первичная — поскольку наши представления о себе, других, мире и Боге имеют характер самоисполняющихся пророчеств и самореализующихся предсказаний.

6. Функциональной основой всего этого выступает так называемый закон воплощения, согласно которому мы способны воплотить (да что там воплотить — просто увидеть!) в своей жизнедеятельности только то, что присутствует в нашем Сознании.

7. Программы вторичны по отношению к картам и, соответственно, обеспечивают реализацию только того, что отвечает соответствующим картам.

8. В связи с этим, в процессе нашего обучения и воспитания мы можем действительно усвоить и принять только те программы, которые адекватны отвечающим за них картам.

9. И карты, и программы являются в высшей степени бессознательными (и даже просто неосознаваемыми) образованиями, не поддающимися изменениям на сознательном уровне.

Несмотря на то, что я подробно описал вышеизложенное в целом ряде книг, попробую коротко объяснить все это относительно человеческим языком.

В Восточной версии нейропрограммирования благополучие (как главная цель всей ВВН) всегда рассматривалось (впрочем, и сейчас рассматривается), во-первых, ***структурно***. Как синтез *эффективности* и *счастливости*. Каковые задаются совершенством и удачливостью. Которые, в свою очередь, определяются вашими *программами* (жизнедеятельности) и *картами* (реальности). Поскольку, если программа примитивная, совершенство и вытекающая из него эффективность будет ну никак не лучше. А если карта не того масштаба, неточная, глупая или вообще не та (а ведь некоторые до сих пор по пусть дикому, но капитализму, бродят с картами пусть развитого, но социализма — а это как по Москве ходить с картой Санкт-Петербурга…), на получение желаемого и нахождение искомого можно даже и не надеяться…

Во-вторых, благополучие человека презентировалось (и презентируется) в Восточной версии нейропрограммирования как бы ***уровнево***. Где я, следуя идеям еще трансактного анализа (см. /19/, /24/ и т. п.), поделил всех людей на благополучников (победителей), середняков (ни проигрывающих, ни выигрывающих, а иногда даже как бы и не участвующих в игре), и неблагополучников (проигрывающих). Как бы хакеров, юзеров и лузеров в компьютерной игре под названием Жизнь…

Рис. 1

Деление это оказалось несколько грубоватое, и поэтому каждый из этих классов был подразделен еще на три.

Рис. 2

При этом обнаружилось, что «означенное» можно (и нужно) рассматривать не только, так сказать, в целом, но и по отдельным его (благополучия) аспектам. Здоровья. Взаимоотношений. Любви/секса. Работы. И денег. Всего того, что я — еще во времена оны — представил в виде так называемой «Звезды благополучия».

Рис. 3

Пока — достаточно. Но смею вас заверить, что уже только одно это было и прорывом, и, так сказать, отрывом. От выше упомянутого нейролингвистического программирования (НЛП), из которого я вышел, как из «Шинели» Гоголя вышли все те, которые, если верить классику, из нее и вышли. Дело в том, что НЛП я — к счастью — занялся, уже будучи вполне профессиональным психологом. Отчего легко избежал присущего славным представителям этого направления прикладной психологии восторженного дилетантизма, замешанного на дешевом прагматизме. Равно как и понял всю методологическую его (НЛП как направления) неоднородность, неоднозначность и недоделанность.

Так вот, главная ошибка нейролингвистического программирования как раз и заключалась в его Главной Цели: достижении успеха посредством превосходства. В некой весьма загадочной уверенности в то, что успех непременно оборачивается благополучием — да еще и долговременным. Не хочу подробно обсуждать здесь эту, увы, глупую идею. Упомяну только простой, но всем известный факт: успех в лучшем случае подтверждает вашу эффективность. Но далеко не всегда делает вас еще и долговременно счастливым…

В принципе, далее можно было спокойно почивать на лаврах. Тем более, что число последователей ВВН росло прямо-таки в геометрической прогрессии, а результаты которых они достигали потрясали их же самих ну прям до глубины души. Но — не удалось. Потому что все опять изменилось. Или, точнее, встало на свои места. Так ведь постоянно бывает в этом мире. Когда не прекраснодушные помыслы людей, а сама жизнь властно добавляет некий «пятый элемент» (вспомните-ка широкоизвестный фильм Люка Бессонна!). Который, почти ничего не меняя, изменяет практически все. Так вот — нечто подобное случилось и со мной. Когда я внезапно понял, что пресловутое благополучие необходимо не просто так — само по себе. А в связи с жизнью как таковой. Пресловутой экзистенцией, которая, с одной стороны, будучи вечной, и есть главное во Вселенной. А с другой, становится таковой тогда и только тогда, когда бывает правильно понята и принята. На любом ее уровне, включая данный — земной. И родилось то, что ныне стало зваться «экзистенциальным нейропрограммированием». То бишь, опять-таки программированием карт и программ, находящихся где-то в нейросети человека. Но уже во имя обретения подлинной жизни. И осуществления полноценной жизнедеятельности.

Основных и базовых постулатов здесь было как раз не так уж и много. И ниже я их просто перечислю, не объясняя, дабы далее подробно все и вся разъяснить. Однако хотелось бы заметить, что они (эти самые постулаты) не опровергают тех, что бытовали в ВВН), а только лишь дополняют их, задавая при этом совсем иное значение.

1. Единственно, что действительно имеет смысл в этом мире, так это экзистенция человека — своеобразная психология его существования (психологическая составляющая жизнедеятельности).

2. Данная экзистенция может осуществляться в двух возможных ее качественных вариантах: существования и бытия, иначе проявляемых как выживание и собственно жизнь.

3. Качество жизни человека более всего определяется уровнем его витальности: интегральной способности к осуществлению жизнедеятельности, определяемой соотношением количества осознанной и используемой им информации к энергии, затрачиваемой на поддержание существования.

4. Витальность человека, к сожалению, изначально обусловлена прежде всего (и более всего) картами реальности, ограничивающими диапазон используемой информации, а также программами жизнедеятельности, приводящими к малоэффективным и чрезмерным затратам на сохранение экзистенции.

5. Подавляющее большинство из этих карт и программ усваивается в раннем детстве и на бессознательном уровне, отчего самостоятельное их изменение без знания специальных психотехнологий маловероятно. Однако именно они — их системная совокупность — становятся сценарием жизни человека: его бессознательным жизненным планом.

6. Помимо вышеизложенного следует учитывать, что прямой отказ от обусловленности чреват отходом от примитивного, но порядка, в область хаоса, за которым, на самом деле, скрывается порядок более высокого уровня — и одновременно другой уровень жизни.

7. Необходимость отказа от обусловленности и связанного с нею порядка в сторону кажущегося хаоса (изменение уровня жизни) неизбежно порождает тревогу, могущую переходить в страх, но страхом не являющуюся.

8. Переход с одного уровня жизни на другой осуществляется в виде квантового скачка, кардинально меняющего всю структуру экзистенции.

9. Исходя из принципа четвертичности (см. далее), можно выделить четыре системы упорядочения хаоса экзистенции

– принципы и правила
– логика и факты
– чувства и ценности
– идеи и возможности.

10. В сути своей это соответствует четырем уровням жизни

– досоциальному
– социальному
– постсоциальному и
– надсоциальному.

11. Первые две системы и два же уровня жизни соответствуют существованию и осуществляются с целью выживания. Последние два (и два) — бытию и жизни ради жизни. Хотя, исходя из логики подхода, их можно было бы назвать немного по-другому: социальный и экзистенциальный мета-уровни. В первом вы живете ради общества и его целей, а во втором — ради себя и своей экзистенции.

С учетом того, что, несмотря на ернический мой тон и вообще категорическое неприятие любой наукообразности, речь идет о все-таки науке, попробую все-таки описать некую методологию грандиозного (ну очень хочется надеяться) проекта под названием «Экзистенциальный нейротрансформинг».

Итак, решаемой **проблемой** (то, что мы решаем) является отсутствие достоверного знания об этапах и стадиях жизненного пути человека, методах ускоренного их прохождения (от низших к высшим), а также способах перевода экзистенции из выживания в жизнь.

Объектом данной науки (то, что мы при этом исследуем) выступает человек на различных этапах и стадиях его пути от выживания к жизни.

Предметом (то, что мы изучаем в этом объекте) являются закономерности стадий и этапов жизненного пути и жизнедеятельности индивидов в их общепсихологическом содержании, а также принципы и возможности их смены.

Сразу же хочу предупредить нетерпеливых интерпретаторов: номинализация «экзистенциальное нейропрограммирование» вовсе не означает, что данная модальность психотерапии и отрасли прикладной психологии является только лишь некой психологизацией экзистенциональной философии. При всем глубочайшем моем уважении к этой всеобъемлющей теории, прямо обращенной к миру, в котором мы живем, действительно расширяющей наше сознание, я взял за основу только некоторые важнейшие ее положения. Каковые, кстати, интерпретировал по-своему.

Во-первых, это гениальное предположение Сартра о том, что «Бытие предшествует сущности». Из которой следует, что прежде чем лезть в глубины психики, и психологам, и психотерапевтам важно понять именно бытие человека. То, где конкретно и на каком уровне собственной жизни он сейчас находится в процессе своей экзистенции.

Во-вторых, это вполне определенная, хотя и странноватая, на первый взгляд, идея, согласно которой мы должны работать с экзистенциальной реальностью клиента. Которая может быть весьма своеобразной и заметно отличной от общепринятых представлений, так и собственно от объективной реальности. А это значит, что мы не должны ограничиваться констатацией того, что художник, лесоруб и ботаник, придя в один и тот же лес, увидят три различных леса, а в буквальном смысле картировать эти самые реальности. Дабы не только лишь интуитивно, но и основываясь на четких концепциях, выявлять, с какой такой неэкологичной, мешающей быть эффективным и счастливым, Моделью Мира пришел к ним клиент психотерапии. И какое такое бытие же принимает за свою экзистенциальную реальность.

В-третьих, это чрезвычайно точное, хотя и не всегда принимаемое современной психотерапией утверждение о том, что именно тревожность (за которой действительно скрываются новые возможности — вспомните-ка китайское определение кризиса не только как краха, но и потенциала развития!) является одной из центральных экзистенционально-психологических проблем человечества. Потому что, она всегда (или почти всегда) возникает, когда обстоятельства требуют действий, в своих способностях выполнить которые человек сомневается, а результат для него весьма и весьма значим (По: /15/). Но буде жизнь постоянно *принуждает* нас к выполнению множества *добровольных* действий (пожалуй, это главный экзистенциальный парадокс человеческой жизнедеятельности), тревожность неизбежна, хотя и преодолима. Однако ее решение силами одной только психотерапии без анализа стоящих перед человеком вызовов представляется недостаточным.

В-четвертых, это понятие свободы. Которая, с одной стороны, буквально имманентно присуща человека, ибо право выбора суть неотъемлемая привилегия любого человека. С другой стороны, он изначально обусловлен родительскими и прочими предписаниями, отчего «я выбираю» с возрастом начисто поглощается «я обязан и должен».

И, наконец, в-пятых, это концепция личной силы. Как того, что определяет возможность делать, а не только думать. Быть, а не только казаться. Достигать, а не всего лишь желать. Каковая, однако, в нашей трактовке была представлена концепцией витальности как универсальной способности к эффективной и счастливой экзистенции, о чем подробнее мы поговорим далее…

Ну вот, пока все об этом, потому что далее мы перейдем к рассмотрению двух важнейших ипостасей экзистенциального нейропрограммирования, соответствующим двум же частям этой книги. ***Мета-психологии***: теоретические, но вполне даже прикладные (прикладываемые к экзистенции) модели жизни и психики как таковой, и также их составляющие, каковыми эта самая ЭНП (надеюсь) обогатила современную психологию. И ***психотерапии,*** но не вообще, а перехода: четко структурированной системы (точнее четырех систем) психотехнологий, способных при достаточном на то желании обеспечить быстрый проход человека по уровням его жизни.

ЧАСТЬ I.
ЭКЗИСТЕНЦИАЛЬНОЕ НЕЙРОПРОГРАММИРОВАНИЕ КАК МЕТА-ПСИХОЛОГИЯ

Наша жизнь — путешествие, идея — путеводитель. Нет путеводителя, и все остановилось. Цель утрачена, и сил как не бывало...

В. Гюго

Уже давным-давно — аж в прошлом веке — психологи, используя свой любимый «материал» — белых крыс –, провели ну очень интересный эксперимент. Означенным крысам создали Рай — полный и подлинный, хотя и крысиный. Место, где было в изобилии тепла, света, полно еды и питья, а также в достатке присутствовали особи противоположного пола. И крысы быстро забросили привычную активность и начали только лишь наслаждаться жизнью. Все, кроме примерно 7 % каких-то странных «диссидентов». Которые, несмотря на райские условия существования, все время лезли в опасную темноту, чтобы, так сказать, познать незнаемое и изведать неизведанное…

Почему я об этом пишу? Да потому, что принадлежу именно к этим семи процентам — только не крыс, а людей. И, имея практически все, что нужно для счастливой и спокойной жизни, постоянно ломаю голову над вещами, постижение которых вряд ли повысить уровень моего благосостояния. А когда что-либо постигну, то еще и щедро делюсь этим, практически ничего не скрывая (это в наше-то сволочное «базарное» время, когда каждый скорее продаст душу, чем некий секрет, обеспечивающий ему лучшее выживание!). На своих семинарах, постоянно повышая уровень их проведения, хотя это заставляет меня непрестанно размышлять над вещами далеко не всегда известными современной науке и практике. И в своих многочисленных книгах, хлопот с коими всегда полон рот, что на фоне копеечных гонораров заставляет меня порой всерьез задумываться о здравости собственного рассудка…

Так вот — меня всегда (и более всего) интересовала жизнь как таковая. Пресловутая экзистенция, которая может быть как никчемным существованием, так и полноценным бытием (в ранней моей системе этот аспект жизни получил простое название: счастливость). И которая также может, но уже обернуться натужным выживанием или беспроблемной жизнью (этот аспект у меня стал называться эффективность).

И как-то так — почти само собою — получилось, что всплыл (или вскрылся) совершенно другой ракурс проблемы экзистенции. Витальности как обобщенной способности осуществлять оную. Двух планов или пластов жизни: выживания (оно же адаптация, идеализация, существование и т. п.) и собственно жизни (она же самореализация, самоактуализация, бытие и т. п.). И четырех этапов жизнедеятельности, в каковых все это и осуществляется.

Так вот, все, что я здесь нарыл и открыл (или, по крайней мере, основное) и изложено в этом разделе моей книги, гордо именуемом «мета-психологией».

На всякий случай поясню, что термин мета-психология я почерпнул из книги Е.В. Змановской «Современный психоанализ» /12/. Где оно было использовано для обозначения вклада, сделанного З. Фрейдом «со товарищи» в психологическую науку. Однако смысл, который я лично вкладываю в номинализацию «мета-психология», немного другой. И, как мне кажется, более точный. Если вспомнить, что «мета» буквально означает «над», то речь в данном случае идет о некоторой надстройке. На не очень (ну совсем не очень) стройном здании современной психологии. Этаком чердаке, в котором запросто можно обустроить пентхаус…

Если же говорить более серьезно и конкретно, то в данном разделе я попытался, по возможности, не дублируя ни НЛП, ни NLPt, показать некоторые психологические концепции, структуры и модели, которые возникли в процессе создания сначала ВВН, а потом и экзистенциально нейропрограммирования. Которые, в принципе, имеют (все без исключения!) статус не истины в последней — теоретической — инстанции, но удобного средства отображения материала, с которым мы работаем. Так и только так. И потому претензии к нижеизложенному прошу не предъявлять, а сказанное не оспаривать. Но не потому, что эти «идеи всесильны, потому что верны» (вольная цитата из работ некоего Ульянова-Ленина). А оттого что они работают, а других пока нет. А одним из неявных, но очено важных принципов экзистенциального нейропрограммирования как раз и является следующий: «Если что-то работает, не надо его разбирать (нет гарантий, что потом соберете) ».

ГЛАВА 1.
СОДЕРЖАНИЕ И ДИНАМИКА ЭКЗИСТЕНЦИИ

Жизнь не в том, чтобы жить, а в том чтобы чувствовать, что живешь...

В. Ключевский

Некий ученик спросил своего учителя: что делать, если в жизни ты переживешь падение?

— Вставай и иди дальше, — ответил учитель.

— А если ты снова падешь?

— Снова вставай и иди!

— И долго мне так: падать и подниматься? — с грустью осведомился ученик.

— До самой что ни есть до смерти, — словно цитируя кого-то, ответил учитель — Потому что падают и не поднимаются только те, кто уже мертв. И даже не важно как — телом или душою...

1.1. СОВСЕМ НЕМНОГО О ВИТАЛЬНОСТИ

В этом мире нет гарантий, есть только возможности.

Д. Макартур

Как я уже упоминал выше и ранее, первой любопытной идеей (или же предпосылкой) экзистенционального нейропрограммирования является концепция витальности. Под которой в наиболее общем смысле следует понимать некую сверхспособность, обусловливающую (в зависимости от ее уровня) качество жизни человека в данной реальности (а далее — и в других).

Принято говорить, что идеи витают в воздухе. В ситуации с витальностью все обстоит именно так. Потому как уже давно серьезные исследователи задумывались о некоем психологическом эмпфеномене, непосредственно обеспечивающем эффективность и счастливость жизнедеятельности людей (в общем-то, как вы поймете далее, сначала эффективность, а потом уже счастливость), поверхностным анализом которого буквально забит интернет.

Однако есть нынче и более серьезные подходы причем и в русле нейропрограммирования. Например, в прекрасной книге С. Гилигана и Р. Дилтса /11/ (с коими я, увы, вынужден полемизировать, но что уж тут поделаешь: «Платон мне друг, но истина дороже») приводится цитата из Марты Грэм, в коей она пишет о витальности как о некоторой жизненной силе, которая воплощается в действии, и которую никак не надо блокировать. В связи с этим вышеупомянутые авторы, соотнесясь с последним утверждением из раскавыченной мною цитаты — «твое дело держать канал открытым», утверждают, что «...в этом и заключается сущность путешествия героя: сохранение своего канала открытым. Ключевая часть этого путешествия — идентифицировать и отпустить все то, что перекрывает ваш канал и заставляет терять витальность и жизненную силу. То есть мы будем стараться найти и преобразовать темные силы, которые блокируют вас от проявления вашей уникальной энергии в этом мире» /11, с. 18/.

К сожалению, в данной трактовке витальность предстает только лишь энергией: очередной репрезентацией великой Ци (далее по тексту книги это становится ну просто самоочевидным). Однако в этом случае второй важнейший аспект жизни человека — информационный — как бы куда-то исчезает. В связи с чем мы использовали иной подход к витальности, разработанный отечественным автором, создателем так называемой биоэнергоинформатики, В. Волченко /5/.

В оригинале формула витальности у данного автора выглядит так

$$V = 1/E$$

где 1 — информативность системы (удельная информация), а E — энергетичность системы (удельная энергия).

Поскольку в подобном изложении все это выглядит маловразумительно, в своей концепции витальности я немного уточнил данную формулу.

$$V = I/E$$

где V — собственно витальность
I — информация, используемая системой
E — энергия, необходимая для поддержания ее (системы) жизнедеятельности.

Что, кстати, можно было представить и так

$$V = \frac{\text{качество и количество применяемых карт}}{\text{оптимальность используемых программ}}$$

Мудрость данной формулы буквально самоочевидна. Чтобы повысить витальность, любой системе нужно (и можно), во-первых, овладеть достаточным для сего количеством информации (и не останавливаться в означенном овладении, поскольку мир непрерывно усложняется). Во-вторых же, можно (или нужно) снизить количество энергии, необходимой для поддержания системы в, так сказать, работоспособном состоянии. Для примера, увы и ах, но столь часто поминаемый ныне всуе Советский Союз, именно по своей витальности вчистую проиграл Соединенным Штатам Америки. Поскольку, в отличие от них, буквально закостенел в единственно освоенной информационной модели зрелого («развитого») социализма. Да при том, что еще и тратил безумное количество энергии на содержание до нельзя неэффективной социально-экономической системы и раздутого «партийно-хозяйственного актива». Правда, здесь хуже другое. То, что и нынешняя Россия все менее витальна в этом мире. Поскольку, несмотря на декларируемые лозунги, продолжает работать в устаревших информационных моделях, осуществляемых коррумпированной и тратящей безумное количество энергии на свое поддержание и воспроизводство бюрократически-олигархической элиты...

Но оставим пусть и резонный, но пессимизм и вспомним небезызвестную максиму: «Везде, где можно жить, можно жить хорошо». А так. как. в нашей стране все еще можно жить, подумаем о том, как лично вам (мне не надо — я этого уже достиг) жить в ней хорошо.

В принципе, основное здесь и так понятно. То, что знание действительно есть сила (знание, а не бестолковая и уже почти не поддающаяся осознанию информация, которой буквально забит Интернет), а значит, дабы повышать свою витальность, надо расти в информированности и осознанности. Как и то, что разумные потребности — те, которые описываются формулой «Надо иметь не столько, сколько хочется, а ровно столько, сколько надо», оказываются ну очень важны. Не скромности ради, но выживания для. Поскольку столь популярные в «продвинутой» (скорей уж, задвинутой) среде «четыре Т» — «тачки», «тряпки», «телки» и «тусовки» — требуют массы энергии для своего осуществления и поддержания и, в общем, очень утомительны (никакого здоровья не хватит…).

Однако не менее важной здесь является и идея изменения витальности в виде квантового скачка (это когда вы даже не заметили, что «скакнули»), приводящая к качественному изменению жизнедеятельности. Например (по-большому) — от выживания к жизни. Но из вышеприведенной формулы следует, что первичной в витальности является все-таки информация, а не энергия. И те, которые, не развиваясь, стараются обеспечить свое выживание накоплением только лишь денежных знаков (наивно полагая при этом, что они — суть энергия), действительно обречены только лишь на выживание. Потому что переход к жизни требует такого же квантового скачка в информации. В осознанности. Осмысления жизни и ее законов и даже просто — в характере мышления. Обо всем этом мы подробно поговорим далее.

Говоря более «теоретически», можно сказать, что главная функция витальности (ну не функция, так роль или значение) как раз и заключается в

– энергоинформационном обеспечении адаптации к определенному уровню и характеристикам жизнедеятельности

– создания условий для квантового скачка на следующий уровень.

То есть, выражаясь весьма и весьма обще, для того, чтобы адаптироваться к некоей системе (например, новой работе), вы должны обладать достаточным для данной системы уровнем витальности. Каково можете достичь либо (лучше) за счет более чем достаточно информации (например, квалификацией и опытом прежней работы). Либо (хуже) посредством уменьшения энергозатрат системы по поддержанию вашей жизнедеятельности: например, согласившись на ну очень маленький оклад (нынче как раз так и поступают: берут малоквалифицированных тупарей, но за мизерную оплату) ...

Тут, однако, перед вами встанет другая задача: а как в этом случае выжить (адаптироваться) в более широкой системе? В том же самом социуме, где за все надо платить, а лично вам почти ничего не платят? Получается, что витальность в малой системе может прийти в противоречие с витальностью в системе большой. И тогда вам придется даже не накапливать, а буквально создавать витальность для квантового скачка. Например, резко (и целенаправленно) увеличить свой информационной уровень. Дабы качественно возросшая за этот счет ваша витальность получила адекватную компенсацию. В виде возрастания энергозатрат системы, обычно (для случая работы) находящих свое выражение в более жирном контексте и уже не совсем хилой зарплате. При этом естественно, ваша витальность упадет, но, поскольку в норме квалификация всегда растет быстрее, чем зарплата, все ж таки будет повышаться.

Учтите, однако, что это я о некой норме, а не сумасшествии, именуемом кадровой работой, каковая сейчас царит на Полях Чудес нашей с вами Страны Дураков. Где ну точно как сорок лет назад, еще до всяких ускорений и перестроек (а после и вовсе демократического «трындеца»), на хлебных местах, согласно бессмертному анекдоту находились только четыре категории людей: ДОРЫ (дочери ответственных работников). ЛОРЫ (их любовницы). ЖОРЫ (жены ответственных работников — правда, сейчас они предпочитают уже не работать, а только лишь иметь нажитое неправедными трудами их супругов имущество). И СУКИ (случайно уцелевшие квалифицированные инженеры — сиречь, специалисты) ...

Хотите, пусть и в таком, «сучьем» статусе, взобраться на какое-то относительно приличное служебное положение? Тогда поднимите уровень витальности до неслыханных высот! Овладейте уникальной квалификацией, согласитесь на умеренную зарплату. Возьмут, да еще как, и даже, скрипя зубами, терпеть будут — надо же хоть кому-то работать, а не красоваться и отсиживаться! Однако в том-то и заключается беда нашей страны, что чем дальше, тем больше, кроме как в МЧС, работать уже не надо. Как-то даже не принято это. И даже вызывает у других нездоровое удивление…

А если не повезет? Если по каким-то причинам вы не сможете набрать или поддержать (в связи с постоянным ростом требований) необходимый уровень витальности? Что ж, тогда дауншифтиг и слоулинг (сознательное понижение уровня жизни и ее такое же сознательное замедление) — это для вас и про вас. Вот только подойдет ли вам добродетельная сельская жизнь или иное, но пасторальное, не знаю. Единственно, прошу: если уж иначе никак, уходите от жизни сознательно. Дабы не повторить судьбу бомжей, у которых это осуществилось на чисто бессознательном уровне…

А теперь не в порядке скромной саморекламы, но исходя из желания хоть как-то помочь людям в этой стране, поясню, почему занятия хорошей (только хорошей—а, значит, в основном у нас в Центре практической психотерапии и еще кое-где — но это 5 % качественного продукта на фоне 95 % недоброкачественных услуг) неизбежно и безусловно повышает витальность человека. Нет, не только за счет большего и лучшего осознания реальности себя, других, мира и Бога (на бессознательном уровне, так что обычная психология тут мало чем поможет). Просто наши, порой многочисленные, как блохи на бездомном псе, неврозы требуют от нас колоссальных энергетических затрат. Во-первых, на их поддержание (демоны, живущие в вашей душе, тоже хотят кушать). А во-вторых, на их удержание — в этаком скрытом, не слишком часто выплескиваемом наружу состоянии. Отчего результатом нормальной психотерапии всегда и везде было, есть и будет повышение витальности за счет уменьшения энергозатрат — но это, опять-таки, только «во-первых». «Во-вторых» же, позитивные эффекты здесь связаны с тем, что все эти «чудовища из глубин» начисто забивали и, как толпа в автобусе, плотно заполняли ваше несчастное Сознание (куда, кстати, вы изо всех сил пытались их не пускать). В результате ни о каком повышающем витальность информационном осознании, как говорится, просто не могло быть и речи. Ибо вы, как в крепости, запирались в узком мирке своей комфортной зоны осознания (узкой, как предмет исследований проктолога). Даже не желая ничего знать о страшном (а на самом деле — прекрасном и полном возможностей) лесе за пределами истоптанной и затоптанной полянки привычной зоны комфорта…

1.2. К ВОПРОСУ О ДВУХ ЖИЗНЯХ

Жизнь — это искусство делать значительные выводы из незначительных событий

С. Батлер

Вторая из вышеупомянутых концепций экзистенциального нейропрограммирования касается вопроса о двух жизнях человека. Еще раз подчеркну: именно о двух последовательных жизнях человека (этапах его жизни), а вовсе не о двух типах жизнедеятельности. Потому что в самой идее о двух, скажем так, вариантах жизни человека и, соответственно, отношения к оной, нет ничего нового. Например, небезызвестная и достославная В. Сэтир в своих докладах и учебных мероприятиях постоянно сравнивала два противоположных взгляда на мир: иерархическую модель наказания/награды и модель роста (По: /4/, с. 127/.

Модель наказания и награды (в нашей парадигме соответствующая первому этапу человеческой жизни — 0 ≈ 42 года) исходит, как из базового постулата, из предположения, что человек по своей природе плох (хуже некуда!). А это значит, что для того, чтобы он смог стать полноценным и полезным членом общества, его надо обязательно контролировать и направлять — разумеется, извне. За счет поощрения позитивного, с точки зрения общества или его подсистем поведения, и, соответственно, наказания (пресечения) поведения негативного. Отношения в обществе основываются на иерархии статуса и власти, а также системы ролей, устанавливающих нормы и стандарты взаимоотношений и действий. Индивидуальность во всех ее проявлениях нивелируется, поскольку угрожает общественному порядку и стабильности социальных систем.

Модель личностного роста, на которой, собственно, и основывается вся так называемая гуманистическая психология, наоборот, считает, что человек, выросший и живущий в благоприятных условиях, в принципе, добр, жизнелюбив, талантлив и сердечен, а еще и ориентирован на рост и изменение как суть и сущность самой жизни.

Сие — не единственное упоминание о двух типах жизни и отношения к ней. Потому что идея подобной дихотомии красной нитью проходила через все науки, так или иначе связанные с человеком. Например, в теории менеджмента она нашла свое выражение в теории X и Y X. Мак-Грегора. В коей своеобразные «верования» (а, на самом деле, пресуппозиции — базовые принципы и предпочтения) обеих теорий выглядели так (По: /16/).

ТЕОРИЯ X

1. Люди изначально не любят трудиться и при любой возможности избегают работы.

2. У людей нет честолюбия, и они стремятся избавиться от ответственности, предпочитая, чтобы ими руководили.

3. Больше всего люди хотят защищенности.

4. Чтобы заставить людей трудиться, необходимо использовать принуждение, контроль и угрозу наказания.

ТЕОРИЯ Y

1. Труд — процесс естественный. Если условия благоприятны, люди не только примут на себя ответственность, но и будут стремиться к ней.

2. Если люди приобщены к организационным целям, они будут использовать самоуправление и самоконтроль.

3. Приобщение является функцией вознаграждения, связанного с достижением цели.

4. Способность к творческому решению проблем встречается часто, а потенциал среднего человека используется лишь частично.

Я оставляю читателю самому решить, какая такая теория — X или Y и, соответственно, какая модель — наказания/награды или роста — стала основополагающей в нашей стране. А, продолжая тему, с удовольствием отмечу, что ближе всех к пониманию двойственности процессов жизнедеятельности подошли Р. Дилтс и Дж. Делазье /9/. Которые прямо противопоставили стратегию выживания стратегии эволюции и генеративных изменений. При этом, под первой они понимали некую адаптацию к настоящему как сохранение достигнутого (и достижение того, что надо сохранить. — С.К.). Каковая, как стратегия, активизируется всякий раз, когда что-то угрожает нашему выживанию. А вот под второй (вторыми) подразумевали адаптацию к будущему через развитие и формирование способности к генеративным изменениям (т. е. изменениям, в результате чего создается что-то новое).

Более того, данные авторы очень точно смоделировали различия в *состояниях*, которые определяют ту или иную стратегию. А именно те, что при выживании мы обычно находимся в состоянии CRASH — *напряжении, реактивности, склонности к бесплодному анализу, отсутствии контакта* (с собой, другими и миром), а также банальной *боли* — душевной, психической и физической. А вот при генеративных изменениях — способности к ним — мы живем (все-таки только здесь и живем. — С.К.) в состоянии COACH. Заключающемся в *центрированности*, *открытости*, *осознанном присутствии, связи и удерживании*. Р. Дилтс и Дж. Делазье предложили даже специальные упражнения по освоению и использованию состояния CRASH и COACH, которые вы найдете в конце главы.

Однако лишь немногие из авторитетов «людоведения» поняли и/или признали главное. То, что это не две модели, два типа или стратегии жизни, а два ее главных этапа. Выживания и собственно жизни. Адаптации как аккомодации (приспособления) и адаптации как ассимиляции (усвоения, присоединения). Социализации и самоактуализации — прогибания под мир и его прогибания под себя (А. Макаревич). И, как говорится, и т. д., и т. п.

К числу этих немногих относился, например, один из основоположников экзистенциализма М. Хайдеггер. Который в 1926 году постулировал существование двух уровней экзистенции (описываю их по И. Ялому /30/).

- состояние забвения бытия и
- состояние сознавания бытия.

Забвение бытия — это как раз и есть способ существования большинства из нас. В нем мы как бы бежим от жизни. И живем в мире вещей, погруженные в жизненную рутину. Человек в этом модусе существования «снижен». Поглощен «пустой болтовней». Затерялся в «они» (орфография И. Ялома). Он в буквальном смысле этого слова капитулировал перед повседневностью, в коей более всего озабочен тем, каковы — хорошие или плохие, правильные или неправильные, полезные или вредные и т. д. и т. п. — вещи, события, обстоятельства, да и сама жизнь.

Забвение бытия — это, по М. Хайдеггеру и И. Ялому, повседневный способ существования. В котором мы не осознаем себя творцами собственной жизни и мира. Спасаемся от них бегством (то и дело попадая в ловушки). И избегаем выбора, будучи «унесенными в успокаивающую «никтовость» («я — никто, а с никто и взятки гладки» — в общем, «моя хата с краю…»).

Сознавание бытия — это уже нечто совсем иное (и *качественно* иное). Пребывая на этом модусе существования, человек сосредоточен не на «как», а на «что»: не на свойствах и оценках вещей, а на том, что они просто есть. Так, например, когда мы действительно любим кого-то, то любим его не за то, что он умный, добрый, храбрый и красивый (ибо в этом случае должны немедленно «разлюбливать» этого другого, как только он таковым перестанет быть), а просто за то, что есть. И тогда неважно, что с течением времени все эти его прекрасные качества как-то стерлись, поблекли и потускнели — он просто есть, и этого достаточно…

Существовать в данном модусе — это значит действительно непрерывно сознавать свое бытие и свою ответственность за него. Именно на модусе сознавания бытия мы являемся полностью самосознающими. Живущими «здесь и сейчас». А также приемлющими мир и самого себя — со всеми своими как возможностями, так и ограничениями. Принимающими жизнь такой, какова она есть, а не такой, какой она должна быть в соответствии с не слишком удачными представлениями …

Переход на более высокий модус осознавания бытия часто происходит в силу трагического в своей сути столкновения с реальностью конечности жизни и неизбежной смерти. Так, И. Ялом /30/, исследуя больных раком, обнаружил, что многие из них использовали кризисную интуицию и нависшую над ними угрозу как стимул к изменению. И у них произошли поразительные сдвиги, внутренние перемены, которые нельзя охарактеризовать иначе, как личностный рост. У этих людей буквально возникло следующее, что иначе как подлинной жизнью не назовешь (и это — у смерти на краю!).

- *изменение жизненных приоритетов и уменьшение значения жизненных тривиальностей;*
- *чувство освобожденности: появление способности сознательно не делать то, что не хочешь;*
- *обостренное переживание жизни в настоящем вместо откладывания ее до пенсии или до какой-нибудь еще точки будущего;*
- *переживание природных явлений: смены времен года, перемены погоды, опадания листьев и т. п. как высокозначимых событий;*
- *более глубокий, чем до кризиса, контакт с близкими;*
- *уменьшение страхов, связанных с межличностным общением и озабоченностью отвержением; большая, чем до кризиса, готовность к риску.*

Собственное описание наиболее существенных различий между двумя стадиями жизни я мог бы выполнить с точки зрения самых различных измерений и ипостасей психического. Однако довольно удобным (и достаточно полным) представляется мне то, которое выполнено с точки зрения так называемых нейро-логических уровней (подробное описание которых будет дано далее).

Так, на этапе выживания **окружение** рассматривается как потенциально враждебное, тогда как этап жизни как бы и полагает, и предполагает его вероятностно благоприятным. **Поведение** в выживании реактивно (вызывается воздействиями извне), а в жизни проактивно (инициируется активностью самого субъекта). **Способности** на этапе выживания основываются на логике и «рецептах» (готовых стратегиях и схемах), тогда как стадия жизни базируется на интуиции и поиске неизвестных альтернатив.

Намерения при выживании исходят из категории необходимости, а при жизни — из категории возможностей. **Ценности** на этапе выживания всегда суть ценности От (избегания), тогда как на этапе жизни они предстают в основном ценностями К (приближения). **Убеждения** выживания всегда ограничивающие и разъединяющие (препятствующие), а жизни, наоборот, расширяющие и связывающие (соединяющие).

Идентичность на этапе выживания связана с эго и набором ролей, тогда как на этапе жизни она основывается на признании собственной индивидуальности и познании Сущности. **Миссия** выживания суть выживание же любой ценой, тогда как для жизни характерно совсем другое принятие человеческого предназначения: жизнь для и ради жизни. Наконец, **смыслом** «большой системы», в которой и осуществляется жизнедеятельность, в случае выживания является существование во враждебной среде и мире с целью максимизации наград и минимизации наказаний, а вот жизнь как таковая позволяет осмыслять этот мир как прекрасное место для личностного роста и развития, а также получения удовольствия от всего, что тебя окружает…

Все вышесказанное можно представить в виде следующей таблицы.

Уровень	**Стадия выживания**	**Стадия жизни**	**Мета-уровни**
Окружение	Враждебное	Благоприятное	Инструментальный
Поведение	Реактивное	Проактивное	
Способности	Основывающееся на логике и «рецептах»	Базирующееся на интуиции и альтернативах	
Намерения	Исходящие из необходимости	Побуждаемые возможностями	Интенциональный
Ценности	От	К	
Убеждения	Ограничивающие и разъединяющее	Расширяющие и связывающие	
Идентичность (сущность)	Эго и роли	Индивидуальность и Сущность	Смысловой
Миссия (предназначение)	Выжить любой ценой	Жить, творить и радоваться	
Смысл	Достижение успеха или избегание неудачи	Обретение благополучия	

Однако это еще не все — и, может быть, даже жаль, что не все. Потому что выживание и жизнь в чисто психоаналитическом плане соответствуют двум основным влечениям человека, существование которых постулировал еще З. Фрейд (правда, отчасти с подачи Л. Саломэ). Мортидо (влечение к смерти). И Либидо (влечение к жизни). Но тогда первая стадия жизни — выживания — может рассматриваться как уход От Мортидо, а вторая — как приход К Либидо.

Можно добавить и еще одно — тесно проецируемое на сегодняшнюю действительность. Первая стадия жизни суть территория агрессивного эгоизма, тогда как вторая — креативного альтруизма. Но как же жаль, что за более чем четверть века нелепых социально-экономических экспериментов мы буквально деградировали, перейдя от жизни к выживанию. Во всяком случае об этом наглядно свидетельствуют чудовищные по своим выводам результаты исследования динамики психологических характеристик российского общества, наглядно продемонстрировавшие, что из общества креативного альтруизма мы деградировали в сообщество агрессивного эгоизма /29/.

1.3. ЧЕТЫРЕ ЧЕТВЕРТИ ПУТИ

То, что людьми принято называть судьбою, является, в сущности, лишь совокупностью учиненных ими глупостей.

А. Шопенгауэр

Если не вдаваться в излишние подробности, то первой серьезной моделью уровней жизни явилась для меня общепринятое в психологии, деление всей жизнедеятельности человека как бы на три этапа. **Досоциальный** (он же доконвенциальный — у обитателей этого уровня некие соглашения с обществом только предусматриваются –, и довербальный — а изъясняются они едва ли не жестами и с применением весьма скудной и часто ненормативной лексики). **Социальный** (он же конвенциальный — это когда некие соглашения с обществом и приняты, и «подписаны»: по принципе «Ты мне — я тебе», — и вербальный — а слова и членораздельная речь становятся таки главным способом общения). И **постсоциальный** (он же постконвенциальный — на этом уровне человек слишком уж хорошо осознает условность общественных соглашений и норм –, и постевербальный — а слова больше уже не рассматриваются в качестве основного средства общения, ибо воистину «тот, кто не поймет вашего молчания, тот не поймет и ваших слов» (Р. Хаббард).

Деление сие мне очень нравилось, и некоторое время я весьма увлеченно занимался тем, что весьма подробно описывал и расписывал все эти этапы (см., напр., «Нейропрограммирование успешной судьбы»). Однако спустя некоторое время обнаружилось, что в этой трехэтапной схеме явственно не хватает некоего четвертого этапа... Началось с малого. Сюда (в три этапа) никак не вписывалось столь нравившееся мне тогда индийское (и древнее) подразделение задач жизни на четыре важнейшие. Артху (обретение материального благополучия). Каму (получение чувственных удовольствий). Дхарму (самореализацию и даже самоактуализацию — в общем, занятие делом, которому ты служишь Ю. Герман). И Мокшу (если коротко, то обретение Космического Сознания). Но это было только своеобразной «затравкой». Потому что на более серьезном уровне я уже знал, что именно число четыре, (еще пифагорийцами рассматривалось как как бы «главное космическое», лежащее в основе его мироздания. Так, вся геометрия основывалась на четырех фигурах: точке, линии, поверхности и твердом теле. А Вселенная существует в четырех измерениях (длина, ширина, высота и линейное время), реализуясь в четырех стихиях: Земле, Воздухе, Воде и Огне. В собственно психологии эта идея был последовательно реализована в постулированной К. Юнгом концепция четырех единиц как *архетипов* (неких первообразов и первоначал).

Без упоминания этого великого психолога — отца глубинной психологии — здесь никак не обойтись. Потому что, несмотря на порой просто потрясающую многозначность (и оттого невразумительность) гениальных идей великого Карла Густава, современная психология должна быть ему благодарна, что называется, по гроб жизни. И, в частности, именно за принцип четвертичности, который пришел на смену доселе довлеющему принципу триады (идущему, как говорится испокон веков). И, например, в христианстве, обретшему форму Бога-отца, Бога-сына и Святого духа (говорят, что К. Юнг в качестве этакого четвертого элемента всерьез собирался включить сюда Богоматерь...).

Согласно этому принципу, *кватерность* или *четвертина* суть четырехсторонний (или четырехкратный) образ симметричной структуры, репрезентирующий идею целостности. Одновременно сие надо понимать как некий *архетип* — универсальный и образующий логическую схему любого целостного суждения. Так, например, в психологическом плане, чтобы сориентироваться в чем угодно, мы, во-первых, должны обладать функцией, которая утверждает, что нечто есть или присутствует (ощущения). Во-вторых, функцией, которая устанавливает, что это такое (мышление). В-третьих, функцией, которая как бы определяет, подходит ли это нам и желанно ли оно (чувства). И, наконец, в-четвертых, функцией, которая выясняет, откуда все это пришло (интуиция).

ощущение	мысль
интуиция	чувство

При этом вся данная четвертина устроена по принципу 3+1, где, кстати, именно эта «единица» (которая, вопреки Маяковскому, не вздор и не ноль) не только дополняет три ей предшествующие, но и, собственно, создает «квартерную» целостность (в психологическом контексте в качестве таковой, безусловно, выступает интуиция).

Хотелось бы соврать, что именно в связи с этим я и обратил свой взор на модель четырех стадий человеческой жизни. Однако, увы, все было куда как проще. Потому что вначале это была просто идея, но не о трех, а все-таки о четырех уровнях жизни. Досоциальном. Социальном. Постсоциальном. И надсоциальном. Проистекающая из вполне резонной мысли о том, что на длинной жизненной дороге мы действительно должны как бы пройти некие вполне определенные стадии. Каждая из которых совершенно отлична от других, но при том имеет четкую привязку к так называемой социализации: вхождению в систему общественных связей и отношений с одновременным занятием некой вполне определенной статусно-ролевой ниши.

На первом уровне — *досоциальном* — человек только лишь начинает означенный процесс искомой социализации (не особо подчиняясь общественным нормам и всячески (охотно) отлынивая от выполнения социальных обязанностей и обязательств). На втором — собственно *социальном* — человекообразная «заготовка» (болванка, «сырец») превращается (если превращается) в уже законченное «изделие» полноценного (хотя и не всегда полноправного) гражданина своей страны. Занимающего в системе ее общественных отношений определенную «клеточку» (ту самую, вышеупомянутую, статусно-ролевую нишу), а в идеале, еще и растущий по лестнице общественного признания (с эквивалентным увеличением стаутса и доходов). Однако растущий строго до определенного уровня — статуса в общественной иерархии, — а после обязательно останавливающийся и даже как бы прекращающий двигаться (по моим расчетам, это обычно происходило в возрасте 42 ± 2 года – в общем, «лиц старше 45 лет просим не обращаться…»).

Для большинства это становилось трагедией. Застоем, началом конца, от которого рукой подать до постпенсионного «возраста дожития» (спасибо Минздравсоцразвития за удивительно оптимистичное определение!). Для многих, но не для всех, потому как во все века и времена находились люди, которые с отстраненной ясностью понимали: именно сейчас и началась настоящая жизнь. *Постсоциального* уровня – в том плане, что, если ты удался, тебе не надо уже так рьяно, как раньше, *соответствовать* (прежде всего общественным требованиям). И, более того, похоже, что именно на этом уровне происходила (или могла произойти) удивительная вещь: смена вектора жизнедеятельности. С выживания – на жизнь. Или, если хотите, с существования для других на бытие для себя. А отношения с обществом менялись с аккомодационных (социализация как приспособление к обществу) на ассимиляционные (приспособление общества к себе). Т.е. вы действительно прекращали «прогибаться под изменчивый мир» (А. Макаревич), и он потихоньку-полегоньку начинал прогибаться под вас.

Но прогибался все-таки не до конца, так как окончательное решение проблемы обустройства мироустройства лежало в иной, более высокой плоскости, а точнее – на следующем уровне вашей жизни и развития. *Надсоциальном*, когда, натешившись и даже как бы наигравшись в столь поощряемые обществом игры в чувственные удовольствия, деньги, статус и власть, а после открыв для себя чувства и ценности, вы внезапно обостренно понимали, что обладание всем этим не дарит счастья, а, чаще всего, дает лишь сиюминутное удовольствие. И открывались для чего-то большего, лежащего за пределами обыденной жизни, но только и позволяющего понять ее истинный смысл и глубочайшее значение. Познание и созидание этого мира ради последующего перехода на иные, более высокие планы бытия, а в перспективе – осознание себя не в качестве ограниченного во времени жизни представителя биологического вида «Homo sapiens», но бессмертного Космического существа, возможностями равного Богу и Богом, по сути, являющимся. Для которого реальность обыденной жизни со всеми ее общественными нормами и правилами становится не более чем компьютерной игрой. Которой легко управлять и с которой легко можно управиться...

Итоговая таблица или, иначе, схема уровне жизни выглядела так.

Досоциальный	Социальный
Надсоциальный	Постсоциальный

Кстати, поскольку данная таблица является так сказать основной, но вмещающей самый разный материал, я для краткости использую аббревиатуры номинаций этих уровней.

ДС	С
НС	ПС

Тут, однако, подоспела другая важная информация. Как психотерапевт сначала Европейского, а после Всемирного регистров, я свято и истово поверил (да и сейчас верю) в так называемую Страсбургскую конвенцию. Согласно которой любой симптом — неважно, соматический (телесный) или психологический — всегда является глупым и уродливым (а также чреватым далеко идущими последствиями) способом *адаптации к реальности* — сиречь, к тому самому социуму, который нас социализирует. Да так, что, ежели эта социализация где-то не удалась, для того, чтобы вы все-таки как-то приспособились к обществу, вам дается костыль в виде соматоза (телесной болезни), невроза или психоза. То есть, например, алкоголик смог приспособиться к обществу исключительно с помощью бутылки, невротик — невроза, а диабетик — диабета. В том, что дело обстояло в точности наоборот и болезнь являлась невыученным уроком или невыполненной контрольной работой, я тогда еще до конца не догадывался (хотя уже вполне смело писал о психологических корнях телесных проблем — типа гипертонии от напряжения и давления в жизни а диабета — от отсутствия в ней сладости). Меня заинтересовало другое: а одинаковы ли способы адаптации на различных уровнях жизни, раз уж вся наша жизнь суть сплошная адаптация?

На помощь пришел курс биологии, выученный на первом курсе психфака. В котором устами академика Северцева излагалось, что существует четыре типа адаптации: деградация интенсификация, специализация и развитие. Догадка мелькнула молнии подобна: так вот оно — то самое для уровней жизни. Ведь получается, что те, кто застревает на досоциальном уровне, адаптируются к жизни путем *деградации* (ухода от реальной жизни в ее «заместители» — суррогаты). Те, кто поднялся до уровня социального, но не пошел дальше, адаптируются посредством *интенсификации* (чтобы все успеть и смочь, а значит, быть обласканным начальством — словом, «работай, негр, работай, солнце еще высоко, а бобовая похлебка будет не скоро…»). Немногие, кто поднялись до постсоциального уровня, адаптируются посредством *специализации* (как бы всецело отдавая себя чему-то одному, и в этом одном добиваясь успеха). И, наконец, единицы, достигшие надсоциального уровня, адаптируются с помощью *развития* — но уже не к социуму, а к Миру во все расширяющихся границах сфер и плоскостей бытии…

ДС Деградация	С Интенсификация
Развитие НС	Специализация ПС

Далее настало время включить в свою концепцию типологии стилей жизни — разработанных, увы, не мною, а А. Кроником и Р. Ахмеровым /17/.

Создали они ее в рамках весьма любопытного метода анализа жизненного пути: так называемой каузометрии. Однако для меня было крайне важно и интересно то, что все без исключения составляющие этого стиля вполне даже вписываются в модель четырех уровней жизни. Более того, только в рамках этой концепции они наконец-то обретают подлинную логику развития.

Начнем с того, что так называемые *эвдемические установки* (предрасположенности человека в плане принимаемой им модели счастья) совершенно четко подразделяются по уровня жизни.

ДС Аскетические	С Деятельные
Созерцательные НС	Гедонистические ПС

Наличие подобных установок, собственно, и реализуется в *стилях жизни*. Которые опять-таки «раскладываются» вполне даже логичным (и аналогичным нашей модели) образом.

ДС Аскеза	С Деяния
Созерцание НС	Гедонизм ПС

В качестве *принципов саморегуляции* (того, как человек регулирует и осуществляет достижение счастья) здесь выступают опять-таки весьма адекватные четырем уровням жизни.

ДС Минимизация потребностей	С Максимизация способностей
Минимизация сложности НС	Максимизация полезности ПС

Естественно, что и *пути к счастью* выглядят здесь совсем по-разному:

ДС Самоограничение	С Самосовершенствование
Познание мира НС	Пользование миром ПС

На мой взгляд, все в этой схеме настолько ясно и даже как бы прозрачно, что остается не более чем подытожить. Итак, досоциальный уровень предполагает *аскетизм*, предопределяющий самоограничение потребностей (как тут не вспомнить весь начальный опыт построения социализма в отдельно взятой стране, которая ограничивала своих граждан везде и во всем — и все во имя будущего счастья). Этап социальный предполагает уже *деятельность*, логично требующую самосовершенствования и максимизации способностей (то, что до недавнего времени и совершалось в нормальных странах еврозоны и, прежде всего, в ее «локомотивах» — ФРГ и Франции). И все это все равно остается только лишь выживанием. Потому что пользование миром начинается тогда и только тогда, когда на постсоциальной стадии он и все остальное рассматривается с точки зрения полезности, а ведущим становится *гедонизм* (увы — опыт Греции показывает, что, не пройдя две первые стадии, вот так сразу, безо всяких предварительных самоограничений с последующим самосовершенствованием перейти (скакнуть!) невозможно, и именно прохождения этих пропущенных стадий и добивался от греков Евросоюз). И только после закономерного, как выясняется, гедонизма, пройдя его искус и даже осознав, что это ловушка («мышеловка на меху») и остановка на пути, можно войти в надсоциальную стадию. *Созерцания* мира и его *познания* при обязательной — подчеркну: обязательной! — минимизации его сложности. Когда ты наконец-то совершенно по-другому понимаешь мудрость слов великого комбинатора Остапа Бендера о том, что жизнь, эта сложная штука, открывается просто, как ящик. Надо только знать, как ее открывать…

Сами по себе идеи А. Кроника и Ко помогли мне понять довольно многое. Например, психологию экономического поведения населения этого мира на каждом из четырех уровней жизни, причуды которого меня иногда просто поражали. Потому что все оказалось не просто, а очень просто.

Для людей досоциального уровня в ситуации кризиса единственно разумной (на их, разумеется, взгляд) является стратегия минимизации расходов («меньше будем тратить — дольше протянем»). Для людей уровня социального — максимизации доходов («больше будем зарабатывать — легче все это переживем»).

А вот для людей постсоциального уровня (и только начиная с него) стратегией уже не выживания по жизни — и в кризис и без оного — становится максимизация полезности (поиск тех 20 % видов работ и услуг, которые по закону Парето обеспечивают 80 % доходов и прибыли). Что же касается «надсоциалов» то, поскольку все, так сказать, материальное их интересует уже куда как меньше, чем остальных, но деньги на жизнь находятся как бы сами собой, то стратегией (и стилем) экономического поведения для них становится минимизация усилий («все то, что у меня есть, это и есть все то, что мне надо, а лишнее ни к чему, и не стоит усилий, которые лучше потратить на познание и созерцание...»).

ДС Минимизация потребностей	С Максимизация доходов
Минимизация усилий НС	Максимизация полезности ПС

Здесь весьма кстати возникла идея о различиях в мотивации на каждом из выделенных уровней жизни. Во-первых, стало ясно, что мы имеем дело со своеобразной сменой, переходом, переключением: с внешней мотивацией для уровня выживания (т. е. связанной с неким внешним объектом) на внутреннюю для уровня жизни (т. е. исходящей из или от самого субъекта).

ДС Внешняя	С мотивация
Внутренняя НС	мотивация ПС

А, во-вторых, довольно легко обнаружилось, что ведущая мотивация человека, основные интенции (они же побудители) его жизни принципиально различны для четырех ее уровней и, по-видимому, выглядят так

ДС Статус	С Деньги
Уникальность НС	Взаимоотношения ПС

Более «научно» (в данном случае — с точки зрения теории трех мотивационных факторов Д. Маккелланда, дополненной четвертым их объединяющим), ведущие потребности человека в контексте (или в свете) четырех уровней его жизни выглядят так

ДС Потребность во власти	С Потребность в достижении
Потребность в творчестве НС	Потребность в аффиляции (желание быть с другими) ПС

На следующем уровне своего анализа четырех уровней жизни я (если не вру) вернулся к К. Юнгу. И понял, насколько же он на самом деле был прав! В частности — в гениальной идее четвертичности как «прохода» по цепочке ощущение → мышление → чувства → интуиция. Потому что тогда ну очень логично получалось, что на досоциальной стадии человек только лишь ощущает эту самую пресловутую социальность. На социальной — осмысливает ее на постсоциальном — наконец-то разбирается с вопросом, как и насколько эта социальность ему нужна. А на надсоциальной — понимает, откуда чего растет в этой довольно-таки глупой сказке, явно придуманной идиотом…

Аналогично и с экзистенцией: ее сначала ощущаешь, потом обдумываешь, далее избирательно желаешь или отвергаешь, а после — в конце — как-то озарено осознаешь. Как драгоценную безделицу, уцененное сокровище и одновременно единственное, что чего-то стоило и главное в твоей жизнедеятельности.

ДС Ощущение жизни	С Осмысление жизни
Осознание жизни НС	Желанность жизни ПС

А дальше меня, так сказать, понесло, и потому с последующими наработками уже более кратко.

Во-первых, получилось что своеобразная эволюция «фокуса внимания» (точнее «сборки» или даже «локуса контроля») — т. е. того, что более всего интересует человека на каждом из уровней жизни, идет вполне логичной схеме: Я → Другие → Мир → Бог.

ДС Я	С Другие
Бог НС	Мир ПС

Что, в общем то, соответствует так называемым четырем перцептивным позициям, открытым в нейролингвистческом программировании.

ДС 1-я (внутри себя)	С 2-я (внутри другого)
4-я (в единой системе со всеми) НС	3-я (осознание со стороны) ПС

И, безусловно, связано с еще одной и уже более серьезной теорией современного психоанализа.

Как известно, представитель неофрейдизма К. Хорни предложила классификацию психологических типов личности по так называемому базовому отношению к другим людям /26/. Каковое бывает трех (опять трех, а не четырех!) типов. **Против людей** (индивид безо всяких доказательств принимает враждебность окружающих и выбирает для себя борьбу с ними). **От людей** (субъект не желает ни принадлежать, ни соперничать, а выбирает некую диссоциированную отстраненность). И **к людям** (здесь человек просто принимает свою беспомощность и полностью полагается на других). Что, по сути, является выражением агрессивности, отчужденности и стремления к принадлежности. Но тогда, если, конечно, отбросить аспект патологичности и лежащих в основе оного компонентов базальной тревоги (как чувство собственной слабости, незащищенности и беспомощности перед жутким и злым (жутко злым!) миром по К. Хорни), мы на самом деле опять сталкиваемся с конкретным выражением трех из четырех уровней жизни, каковые, пожалуй, должны быть дополнены объединяющим четвертым. Который на мой, неискушенный изысками неофрейдизма взгляд, должен парадоксальным образом объединить три предшествующих. И тогда иного названия, кроме «среди людей» (близость) я подобрать не могу. Хотя и предупреждаю, что в этом случае речь идет не о некой патологической социофильности, но о способности быть подлинно близким с теми, кто этого заслуживает…

ДС **Против людей** Агрессивность	С **От людей** Отчужденность
Среди людей Способность к близости НС	**К людям** Стремление к принадлежности ПС

На этом месте я позволю себе остановиться. Но не потому, что это все, что я открыл по вопросу четырех уровней человеческой жизнедеятельности. А оттого, что последующие мои открытия были связаны с другими теоретическими моделями, о которых я расскажу далее.

1.4. РЕАЛЬНОСТИ, КОТОРЫЕ МЫ ВЫБИРАЕМ

Для любой волнующей человека проблемы всегда можно найти решение — простое, достижимое и ошибочное.

Х. Менкем

Итак, к этому моменту я уже твердо уверовал в то, что жизнь человека можно (и нужно!) разбить на четыре уровня. Однако во всей моей теоретической модели (куда более сложной, нежели вышеописанная), не хватало главного: объяснения того, как и почему эти уровни определяют и знаменуют скачки в витальности человека? Ответ я нашел — и даже ну очень скоро. В концепции четырех реальностей Мак-Винни, с глубоким энтузиазмом изложенной П. Янгом /31/.

Так вот, упомянутый Мак-Винни, анализируя проблему ментальностей человека (экзистенциальных реальностей, в каковых оный проживает), пришел к выводу, что наилучшим для их — ментальностей — подразделения выступают две оси, условно поделенные пополам. Первая — единичность или множественность в части принимаемых истин (либо она одна, либо их ну очень много). И вторая — строгого детерминизма или же свободы воли (т. е. либо я жестко определен в своих действиях, либо обладаю свободой воли). Что в результате порождает четыре реальности (ментальности), подозрительно смахивающие на юнговскую «четвертицу».

	Единичная истина	Множественные истины
Детерминизм	Унитарная	Сенсорная
Свобода воли	Мистическая	Социальная

Для не слишком сведущих поясню, что изначально концепция четырех ментальностей создавалась именно как способ описания основных параметров субъективного бытия человека в данном более или менее объективном мире. Основополагающими в этой концепции явились ориентации человека либо на *правила/истины* (**унитарная** реальность в терминологии авторов), либо *на факты и доказательства* (реальность **сенсорная**), либо на *чувства и ценности* (**социальная** реальность), либо на *идеи и творчество* (реальность мифическая или, у нас, **мистическая**).

Унитарная реальность Правила / Истины	**Сенсорная реальность** Факты / Доказательства
Мистическая реальность Идеи / Творчество	**Социальная реальность** Чувства / Ценности

Вышеприведенная иллюстративная таблица может, кстати, служить и своеобразным тестом для выявления того, в какой именно реальности живет конкретный индивидуум. Для этого иногда достаточно просто спросить его, какие понятия из приведенных в клетках таблицы — правила/истины; факты/доказательства; чувства/ценности или идеи/творчество, так сказать, наиболее близки ему по духу. И не поверить и перепроверить, просто прислушиваясь к речи и наблюдая за манерой поведения. Ибо для представителей *унитарной реальности*, например, характерны такие высказывания, как «Мы должны следовать правилам», «Только так и никак иначе мы не можем добиться цели» или даже «Кто не с нами, тот против нас, и ему здесь не место». «Жители» *сенсорной реальности* куда как более сдержанны в выражениях и предпочитают сентенции типа «Этому должно быть логическое объяснение», «Всегда можно найти несколько способов» и «Так будет логичней». «Последователи» *социальной реальности* просто обожают говорить о том, что «Мы должны принимать во внимание другие (чужие) мнения; «Что об этом скажут или будут думать люди», а также «Главное — общее благо» («Счастье всем, и чтоб никто не ушел обиженным»). Ну а обитатели *мифической реальности* предпочитают «словоблудничать», говоря «Давайте-ка посмотрим, что с этим можно сделать», «Было бы здорово, если бы...» и «Это напоминает мне одну историю...».

При этом «унитарщики» не терпят инакомыслия, добиваются своего во что бы то ни стало и предпочитают стиль давления и запугивания. «Сенсорики» предпочитают отстраненность и невовлеченность в ситуацию и стараются не руководствоваться ничем, кроме логики. «Социалы» постоянно «читают» (в энэлперском смысле) чужие мысли, строя предположения, касающиеся отношений, взаимоотношений и реакций других (и с другими), но при том, иногда почти сладострастно предвкушая очередное унижение, обвинение или угрозу. Ну а «мистики», проявляя экспансивность, оригинальность и порой ненужный сарказм, относятся ко всему как к игре и вообще могут легко увлечься второстепенным, «растекшись мыслью по древу».

В стрессе и конфликте представители унитарной реальности обычно занимают позицию Обвинителя, сенсорной — Компьютера, социальной — Жертвы, а унитарной — Уравновешивателя или Флюгера. Ну а в рамках организаций (организационной культуры) «унитарщики» являются ярыми представителями так называемой культуры Зевса (каковой, по образному выражению, «мечет молнии, когда гневается, и сыплет золотом, когда соблазняет»), точками сборки которой выступают власть и кнут, а ресурсами — информация и харизма. «Сенсорики» относятся к культуре Аполлона, в которой главной является роль, а принципами — позиции и процедуры. «Социалы» обычно строят культуру Дионисия, «собираемую» вокруг экзистенциализма и личности по весьма спорному принципу, согласно которому организация существует лишь для того, чтобы служить и помогать людям внутри нее. Ну а «мистики» являются приверженцами культуры

Афины, где обобщенной точкой сборки выступает задача, а базовыми ресурсами и принципами — опыт, талант и креативность.

Во избежание кривотолков, сразу же сообщу: я, безусловно и безоговорочно, согласен с Мак-Винни и Янгом, так сказать, в целом. Однако в частности меня серьезно смутили противоречия, которыми изобилует их концепция четырех ментальностей. Например, я никак не мог взять в толк (да и сейчас не могу), почему унитарная реальность тождественна у этих авторов мыслительному типу по Юнгу, а сенсорная — ощущающему. Мало того, что это противоречит последовательности «квартеричности» великого Карла Густава (ощущающий, мыслительный, чувствующий, интуитивный), данные авторы (в лице П. Янга) противоречат сами себе! Например, когда утверждают, что в унитарной реальности лидер настаивает «если ты не с нами, ты против нас, и тебе здесь нет места», а в сенсорной реальности ученый (ученый!) думает «так будет логично» (т. е. описывают нечто противоположное тому, что говорили ранее, но уже в куда большем соответствии с Юнгом).

Поэтому правильнее было бы называть эти ментальности сенсорной, логической, эмоциональной и интуитивной. Но, как говорится, «кто первым встал, того и тапки» и потому далее я буду использовать именно классические номинализации Мак-Винни и Янга — но в своей, несколько иной, чем у этих авторов интерпретации.

Естественно, что все, что мне оставалось после этого — так это просто сложить два и два и получить вполне логичные выводы. Во-первых, о довольно точном совпадении реальностей высокоуважаемого У. Мак-Винни и уровней жизни некоего С. Ковалева. При котором, однако, эти самые реальности рассматриваются не как однопорядковые, но именно в плане последовательного продвижения по ним от этапа к этапу.

Досоциальная (унитарная)	Социальная (сенсорная)
Надсоциальная (мистическая)	Постсоциальная (социалная)

А, во-вторых, о том, то *досоциальный* этап жизни и развития человека суть существование (жизнью это трудно назвать) в удивительно гнусном (и даже просто унылом) мире, в котором главенствует одна истина или, точнее, доктрина — не важно, ортодоксального коммунизма, исламского фундаментализма или монополярного мира (да-да, я именно об этом: о том, что многие так называемые свободные и где-то даже развитые страны на самом деле застряли — как Россия — или опустились — как Америка — на досоциальный в сути своей уровень). И в котором при этом все строго детерминировано — где моральным кодексом строителя коммунизма, где шариатом, а где и декларациями о правах человека, почему-то предполагающими полное бесправие…

Конечно, некоторые скажут, что я чуть-чуть погорячился, намекая на досоциальность той же Америки. В общем-то, да: пока (пока!) она живет на *социальном* уровне, где детерминизм все-таки предполагает множественность мнений и истин. А та же Европа даже как бы пошла далее — к некоему *постсоциальному* общественному устройству, в котором действительно есть и множественность истин, и свобода воли. Правда, в результате она пришла к полной неразберихе в вопросе с теми же «инородцами», но это потому, что подлинная демократия требует признания Единого. И полной свободы воли в рамках немногочисленных Божьих Заповедей, главной из которых была, есть и будет простейшая и вневременная: не делай другому того, чего не хотел бы себе. А полная и подлинная свобода — ну что ж, она из другого принципа-следствия: ты можешь делать все, что хочешь, пока не мешаешь другим.

В-третьих, получилось (впрочем, получилось оно до этого, а здесь просто досложилось), что *выживанию* по модели Мак-Винни соответствует существование в двух ментальностях: унитарной и сенсорной. В первой из них оно осуществляется преимущественно за счет борьбы (нападения) и/или бегства (избегания), тогда как во второй — замирания (паралича) и сдачи (подчинения). Как тут не вспомнить, с какой скоростью красноармейские атаки в гражданскую войну сменялись паническим бегством наскоро сколоченных воинских подразделений — да так, что пришлось вводить заградотряды (пулеметами строчащие по бегущим от фронта) и децимацию (расстрел каждого десятого в покинувших позицию подразделениях). Или нашу славную интеллигенцию («говно класса» — В.И. Ленин), способную уцелеть при любом режиме за счет спасительного паралича перед властью или всегда успевающую вовремя сдаться на милость победителю или просто подчиниться его воле…

А вот *жизнь* как таковая возможна только в следующих двух ментальностях: социальной и мистической. В каковых она осуществляется за счет действительно генеративных изменений: по принципам «люби и цени» в ментальности социальной (да-да, именно так: люби и цени все, в т.ч. и плохое — и оно преобразуется) и «принимай и используй» в мистической ментальности.

Выживание	Бей или беги	Замирай или подчиняйся	Социализация
Жизнь	Принимай и используй	Люби и цени	Самоактуализация

Кстати, надеюсь, вы обратили внимание, что примитивная бинарная логика выживания «или — или» обязательно сменяется многомерной «и — и» жизни. Но это только если произойдет соответствующее включение неких интеллектуальных структур.

Вот здесь-то — в области, так сказать, интеллекта — и нашелся ответ на вопрос о «скачках витальности» от уровня к уровню. Потому что обнаружилось, что этакий «интеллектуальный» аспект стадий/уровней человеческой жизни (она же динамика смены реальностей) нашел свое выражение в концепции уровней научения Г. Бэйтсона. Не вдаваясь в излишние подробности (я все-таки пишу научно-популярную книгу заведомо ограниченного объема, а не монографию в тысячу и более страниц!), сообщу, что данный автор выделял, по сути, пять уровней научения: 0, I, II, III и IV. Каковые несколько (или настолько!) по-разному описывают такие безусловные авторитеты, как Р. Дилтс совместно с Дж. Делазье /9/ и П. Янг /31/. Например, согласно Р. Дилтсу, научение уровня IV суть революционные изменения, предполагающие пробуждение к чему-то полностью новому, уникальному и преобразующему — но как бы вполне даже реальному, В то время как П. Янг пишет, что Г. Бэйтсон действительно выделял этот уровень, но при этом заявлял, что ни с одним взрослым человеком никогда не происходило ничего подобного, и эта концепция (уровень) выходит за пределы человеческого понимания. При этом уже уровень научения III, согласно тому же П. Янгу, связан с полной реорганизацией личности уровня просветления (!), глобален, не подвластен логике и не укладывается в структуру. Это тот уровень, о котором сам Г. Бейтсон говорил следующее: «Это трудно и это редкость для людей. Этот процесс также довольно трудно представить себе и описать, потому что он выходит за пределы слов, которые могли бы описать его» (По: /31/). Но утверждал, что что-то подобное происходит в терапии, религиозных опытах и в других ситуациях, когда происходит кардинальная реорганизация характера.

Лично мне куда как ближе точка зрения П. Янга. Потому что воззрения Р. Дилтса кажутся уже слишком «притянутыми за уши» к его же структуре нейрологических уровней (на мой взгляд — неполный и недостаточно логичный). Тогда предположим (и положим в основу), что, например, для человека, недовольного своей работой или ее оплатой, существует четыре варианта научения/решения этой проблемы. Нулевой (уровень 0), когда он, сохраняясь в той же организации, усердием или лестью пытается изменить сложившийся статус-кво, ничего по сути не меняя. Уровня I, когда он уходит в другую организацию, но на ту же работу (специальность). Уровня II, когда он кардинально и резко меняет свою профессиональную область, переходя, например, из инженеров в психотерапевты. И уровня III, когда он просто бросает любую работу и начинает заниматься, например, духовными поисками и личностным ростом.

Думаю, что вышесказанного (мною) достаточно, чтобы понять, что изменения уровня 0 суть основа существования в унитарной реальности. Изменения уровня I характерны для реальности сенсорной. Изменения уровня II становятся возможным только по достижении социальной реальности бытия. А изменения уровня III возможны исключительно для индивидов мистической реальности…

Интеллектуальный аспект динамики реальностей заставил меня призадуматься об аспекте эмоциональном (поведенческий аспект я описал выше — см. обобщенные паттерны «бей или беги», «подчиняйся или замирай»), «люби и цени», «принимай и применяй»). И тогда выяснилось, что известная еще по НЛП модель сущностных состояний — подлинных и глубинных чувств человека, в сумме и составляющих счастье — также четко раскладывается на четыре уровня реальностей. Так, своеобразной эмоциональной целью досоциальной стадии (унитарная реальность) выступает обретение *спокойствия.* Социальной (сенсорная реальность) — *о'кейности* («все о'кей», что в современном мире, увы, чаще презентируется как «все схвачено»...). Постсоциальной (социальная реальность) — *бытийственности* (как неизбывной радости существования как такового: кайфа от бытия). И надсоциальной (мистическая реальность) — *необусловленной любви:* к себе, другим, миру и Богу. Приводящей впоследствии к возникновению «пятого элемента» сущностных состояний: трансцедентального чувства связи с Высшим (предтеча Космического Сознания).

ДС Спокойствие	С О'кейность
Любовь НС	Бытийственность ПС

Можно было бы еще многое говорить о концепции четырех реальностей в – и вне контекста четырех уровней жизни. Однако всех желающих разобраться в ней более подробно, я лучше пошлю (простите – отошлю) к соответствующей литературе (см. в конце книги). Потому что нам настала пора разобраться с вопросом о, так сказать, нейрофизиологическом субстрате четырех уровней жизни...

1.5. ЧЕТЫРЕ МОЗГА И ЧЕТЫРЕ УМА

> Есть вещи, которые надо прежде видеть, чем в них верить; и есть другие, в которые надо прежде верить, чтобы их видеть.
>
> П. Буаст

Само по себе название этого раздела звучит несколько эпатажно. Поскольку еще со школьной скамьи всем и каждому известно, что мозг у человек один, а пребывает он в голове —

и нигде более. Тем не менее, существование нескольких центров сознания в настоящее время является если и не общепринятым, то вполне научным. Например, Р. Дилтс и Дж. Делозье /9/ постулировали существование трех видов интеллектов или разумов.

1. Когнитивного разума, расположенного в мозгу.
2. Соматического разума, расположенного в теле.
3. «Полевого» разума, возникающего в результате нашей связи и взаимодействия с более обширными системами, существующими вокруг нас.

Чем, по сути, повторили — на другом уровне репрезентации — известную идею Блаженного Августина о существовании ока тела, ока ума и ока души.

Однако даже при беглом знакомстве с описаниями и аргументацией этих двух «авторитетов» нейролингвистического программирования (а также создателей НЛП третьего поколения) лично у меня (даже без ссылки на «четвертину» Юнга) возник закономерный вопрос: почему телесный разум связывается у них сразу с двумя центрами (мозгами): энтерическим (кишечник) и кардиологическим (сердце). Особенно, если вспомнить, что наш великий физиолог Иван Павлов — единственный в мире дважды лауреат Нобелевской премии — уже при советской власти в своей лаборатории в Колтушах, презрев царивший тогда материалистический идиотизм, утверждал о том, что не мозг, а сердце является более важным органом человеческого разума.

Вывод, к которому я пришел, прост и однозначен: у человека существуют не три, а четыре мозга, соответствующие

Четырем отдельным, но взаимодействующим видам разума:

- телесному
- когнитивному
- эмоциональному
- полевому.

Четырем уровням жизни:

- досоциальному
- социальному
- постсоциальному и
- надсоциальному.

И четырем ментальностям — реальностям жизни — по Мак-Винни и К°

- унитарной
- сенсорной
- социальной и
- мистической.

Более того, оказалось, что выделенные К. Юнгом четыре же психологические типа, которые, как известно, были выделены по признаку четырех же функций

- ощущения
- мышления
- чувства и
- интуиции

в сути своей как бы выражают преобладающую опору и ориентацию на соответствующие виды разума!

Попробуем описать то, что получилось в результате. Итак, первичная адаптация человека досоциального уровня, по-видимому, осуществляется преимущественно энтерическим мозгом (умом) или энтерической нервной системой. Как, увы, показывает опыт революции и гражданской войны в России, точнее, тех, кто их и сотворил: малообразованных, а часто и откровенно неумных (см. «Собачье сердце» М. Булгакова), одного этого телесного разума оказалось вполне достаточно для того, чтобы если не преуспеть, то адаптироваться в унитарной реальности: затверженных и единственно верных правил и принципов, ощущаемых буквально «нутром» («Нутром чую — вражина!»).

Однако освоение социального уровня, основывающегося на логике, фактах, доказательствах и… выгоде (то бишь собственно социального уровня) требует «включения» и развития уже другого мозга: классического «головного», осуществляющего функцию когнитивного разума. А вот эмоциональный ум — подлинная сердечность — здесь не только не нужен, но даже как бы неуместен, т. к. мешает. Осуществлению холодных расчетов ученых и умелых обсчетов бизнесменов и политиков (интересный факт: кичащиеся своей приверженностью к демократии Соединенные Штаты Америки нарушили практически ВСЕ свои договоры с коренными жителями Нового Света — индейцами: числом более 300!). Однако того, чего вполне хватает для выживания, оказывается явно недостаточно для жизни, которая невозможна без освоения постсоциального уровня Чувств и Ценностей, настоятельно требующих включения кардиомозга и связанного с ним разума сердца.

Любопытно, что эта довольно загадочная нервная система обладает очень большой властью над поведением и деятельностью человека и уж совершенно точно, памятью, позволяющей сохранять и переносить если не всю, то существенную часть индивидуальности человека. Множество подтверждений данного тезиса было обнаружено в кардиотрансплантологии (пересадках сердца), где обнаружилось, что пациенты проявляют черты личности, знания и воспоминания их доноров. Например, эти люди (с чужими сердцами) начинали любить пищу, которая им ранее совершенно не нравилась; ездить в места, ранее их не интересовавшие; играть в неприемлемом для них ранее музыкальном стиле; и даже чувствовать себя существом другого пола — разумеется, все в соответствии со своими уже умершими донорами. А чего стоит история, согласно которой восьмилетней пациентке пересадили сердце убитой десятилетней девочки, и она «сдала» полиции убийцу своего донора, сообщив время, орудие преступления, место и одежду преступника, а также слова и поведение жертвы (По: /9/) ! Но если сейчас, когда мир переживает самый серьезный за всю свою историю глобальный и тотальный кризис, утопающие в проблемах выживания люди почти разучились «думать сердцем», что же тогда говорить о полевом разуме, являющемся буквально «входным» билетом в надсоциальный уровень? Каковой, увы, чаще встречается у представителей мудрого Востока, чем суетливого Запада. Тех стран и наций, которые не утратили своих подлинно мистических духовных традиций.

Однако и здесь я в одном совершенно не согласен с Р. Дилтсом и Дж. Делазье: в смешивании «полевого» разума с подключениями к полю. Дело в том, что нечто единое — и да, можно сказать, «эгрегориальное» — может, как результат взаимодействия, возникать на любом из первых трех уровней интеллекта. Так, разум воинственно настроенной толпы преимущественно соматичен. Совместное умонастроение (или все-таки умопомешательство) участников «цветных» революций носит отчетливый когнитивный характер. А коллективное самопожертвование во имя высших ценностей требует уже развитого эмоционального интеллекта. Но «полевой» разум (око души, по Блаженному Августину) суть не способность включаться в связи и взаимодействия с более обширными системами, существующими вокруг нас, но результат квантового скачка в развитии человеческого Сознания. Позволяющего субъекту осознанно подключаться к Единому Полю Вселенной — тому самому Святому Духу, который суть одна из трех ипостасей Бога. Впрочем, об этом весьма подробно (и даже очень интересно) написано в прекрасной книге Линн Мак-Таггарт /20/).

Подытожим все вышесказанное — в силу его ну очень большой важности, в некотором сомато-психотерапевтическом аспекте и с точки зрения уже концепции четырех реальностей.

Итак, адаптация в **унитарной** реальности осуществляется в основном за счет энтерического мозга, позволяющего человеку без серьезного и/или критического осмысления усваивать правила и принципы, обеспечивающие его выживание и вхождение в социум. Освоение **сенсорной** реальности буквально заставляет человека включать когнитивный мозг, поскольку изучение логики рациональных действий, основанных на фактах/доказательствах и предусматривающих получение выгод и прибыли) в мире тотально победившего капитализма невозможно на уровне «кишечного» интеллекта. Именно поэтому большинство клиентов, имеющих сложности в адаптации к унитарной реальности, в качестве места локализации неприятных ощущений указывают живот, а «не попавшие в струю» сенсорной реальности страдают от неприятных ощущений в голове (различной этиологии).

Однако все это касается только реальностей выживания, и вот здесь-то кроется причина, по которой подавляющее большинство клиентов психотерапии переживают неприятные — крайне неприятные! — ощущения в области груди: зоне репрезентации эмоционально-чувственного мозга. Дело в том, что переход от выживания к жизни, связанный с освоением, во-первых, **социальной** реальности, требует включения именно этого вида разума (ставшего нынче большой редкостью). По сути, речь идет о качественном (квантовом) скачке в мышлении человека и осмыслении им реальности бытия. Когда на смену как примитивным принципам, так и изощренной прагматической логике приходит совершенно иная система смыслов. Основанная на чувствах и ценностях. Если хотите — некое Сознание Христа, при наличии которого только и возможно подставить правую щеку, если тебя ударили по левой; простить обидчика; протянуть руку дружбы поверженному врагу; и проявить терпение, кротость и смирение перед всесильными обстоятельствами, сохраняя при этом веру в себя, других, мир и Бога... Кстати, бесконечное терпение бесконечно же прощающих нас любимых женщин связано именно с тем, что большинство представителей слабого пола изначально тяготеют к социальной реальности, где, напомню, чувства и ценности играют куда большую роль, нежели какие-то жалкие принципы или никчемная мужская логика, подкрепляемая никому не нужными фактами и доказательствами... В общем, все в соответствии с известной поговоркой: «Любовь зла, а козлы этим пользуются»...

Однако освоение социальной реальности соответствует только лишь постсоциальной стадии или этапу человеческой жизни. На которой ранее и принято было останавливаться, не желая вводить «объективную» психологию в «субъективный» мир квантово-полевых феноменов (да какая она, к черту, объективная, эта самая классическая психология, если ее объекта — психики — никто никогда не видел...). Но время пришло, и после открытия феномена трансперсональности замалчивать факт существования полевого разума и ориентированной на его развитие и раскрытие надсоциальной стадии развития человека стало просто уже невозможно. В модели четырех реальностей этому этапу развития человека соответствует мистическая или, иначе, мифическая стадия. Предполагающая, во-первых, отказ от плюрализма (множественности в описаниях мира) и возврат к Единственной Причине — Богу; а, во-вторых, полную свободу воли в воплощении Божественного замысла. А поскольку одной из наиболее близких физической природе человека репрезентаций божественного является именно Поле, дабы действительно познать Высшее, «понять замысел бога» (А. Эйнштейн) и осуществить Божий промысел, совершенно необходимым является переход к полевому интеллекту, позволяющему отдельному индивиду включиться в Гиперсеть вселенского Разума…

Все вышеизложенное можно выразить следующей схемой

ДС (унитарная реальность) ***Энтерический разум***	С (сенсорная реальность) ***Когнитивный разум***
(мистическая реальность) ***Полевой разум*** НС	(социальная реальность) ***Эмоционально-чувственный разум*** ПС

В заключении главы (кстати, или просто — к слову) можно упомянуть, что в части уровней сознания весьма авторитетный в эзотерических знаниях Ю. Иванов также постулировал существование четырех уровней сознания (здесь и далее по /14/). Первый, низший — физическое или животное сознание. На котором человек не испытывает потребности к самопознанию, да и просто к нему не способен. Второй — ментальное сознание или интеллектуальный уровень. Здесь человек уже способен познавать себя и Вселенную, но, увы, ценой душевных страданий. Третий — первый шаг к космическому сознанию. Осознание «Я» и причастности оного к Абсолюту. И четвертый — собственно космическое сознание. Осознание единства всего живого и единой жизни, наполняющей собой Вселенную.

Помимо этого, такой весьма авторитетный йог, как Рамачарака, задолго до открытия энтерического, когнитивного, эмоционального и полевого интеллектов выделял также четыре уровня. Физического ума, сменяющегося интеллектуальным, каковой вытесняется духовным умом, в свою очередь, ведущим к Космическому сознанию.

И, наконец, совсем даже аналогично Ш. Ауробиндо различает четыре основные уровня — состояния сознания — обычный разум, просветленный разум, интуитивный разум и сверхразум. Обычный разум связан со стереотипами и блуждает от одного объекта к другому. Просветленный разум дает возможность увидеть себя со стороны и понять суть явлений. Интуитивный разум позволяет выйти к получению отдельных информационных потоков от Другой Стороны Бытия. А сверхразум просто к ней подключается на, так сказать, постоянной основе, даря овладевшему им человеку подлинную гениальность…

Упражнение 1.

С учетом того, что содержание и структура витальности представляет собой нечто запредельно сложное, попробуйте просто — хотя бы в первом приближении — определить

- какая новая информация должна быть вами осознана для повышения уровня витальности?
- какая старая информация — переработана и, возможно, отброшена?
- какие виды деятельности, взаимоотношения и состояния отнимают у вас наибольшее количество энергии и сил?
- какие новые способы деятельности, формы взаимоотношений и позитивные состояния вам стоит освоить в связи с тем, что обнаружилось, и просто — опять-таки ради увеличения вашей витальности (делайте это как в целом — так сказать по-жизни, так и для следующих областей
    - Я, другие, мир, Бог
    - здоровье, взаимоотношения, любовь/секс, работа, деньги (материальное обеспечение).

Упражнение 2.

Попробуйте ощутить и осознать, что значит быть живым, а не выживающим с помощью следующего упражнения.

1. Сядьте в расслабленной, но не расхлябанной, а, наоборот, хорошо сбалансированной позе.
2. Сосредоточьте свое внимание на ногах и нижней части живота и, осознавая эту область, повторяйте про себя: «Я здесь. Я присутствую. Я центрирован» — до тех пор, пока не ощутите все это.
3. Подключите к осознанию своего тела грудную его часть (включая плечи) и повторяйте про себя: «Я открываюсь.

Я открыт» — до появления соответствующего ощущения.

4. Расширьте осознание до шеи, горла, лица, головы и мозга, говоря про себя: «Я пробужден. Я бодрствую. У меня ясное и открытое сознание» — спокойно дождитесь соответствующих ощущений.
5. Начните осознавать пространство над собой, под собой и вокруг себя и, повторяя про себя: «Я в контакте с собой, с ресурсами внутри меня и полем вокруг» — ощутите состояние расширенности и включения.
6. Объедините все в единой состояние, скажите себе: «Я голов принять все, что появится» — и заякорите ваш СОАСН, например, сложив обе руки на груди (о техниках якорения см. в любой книге по НЛП).
7. Выйдите из этого состояния (только, пожалуйста, без спешки), заново «включите» его якорем и войдя в СОАСН целиком и полностью, начните не спеша изучать свою жизнь с точки зрения всего в ней не очень приятного, обязательно нужного и почему-то должного. И не удивляйтесь тому, что произойдет — даже если произойдет серьезное переосмысление собственной экзистенции.

Упражнение 3.

Возьмите три листа бумаги, озаглавьте их тремя нижеприведенными вопросами и, естественно, последовательно ответьте на каждый из них, ничего не анализируя и, уж тем более, не «категоризируя»:

1. Причины, по которым я все еще не живу так, как я хочу, это: ____________________
2. Причины, по которым я все еще не имею все то, что я хочу, это: ____________________
3. Причины, по которым я все еще не избавился от всего того, что мне мешает, это: ____________________

Проанализируйте все три списка на предмет совпадений — главных причин вашего «застревания» в жизни. Объективные (внешние) попробуйте как-то изменить, ну а субъективные (внутренние) — сохранить до времени чтения раздела «Психотерапия».

Упражнение 4.

Попробуйте, опять-таки взявши за основу как жизнь в целом, так и отдельные ее ипостаси (здоровье, взаимоотношения, любовь/секс, работа, деньги или другие) ответить на следующие вопросы

1. От каких чересчур догматических принципов и правил мне стоит отказаться?
2. Какими новыми фактами, системами логик (просто знаний) следует овладеть?
3. Какие позитивные чувства и ценности открыть (а каким просто открыться) ?
4. Каким идеям и возможностям позволить войти в свою жизнь?

Упражнение 5.

1. Положите ладони на область живота и попробуйте не просто ощутить, но даже как-то увидеть ваш энтерический разум: его размеры, форму, цвет, консистенцию и т. п. Если что-то не очень нравится, спокойно внесите необходимые изменения.
2. Сделайте это же для кардиоразума (руки положите себе на грудь) и разума когнитивного (здесь руки возложите на лоб).
3. Поднимите обе руки вверх, поверните ладонями (над головой!) друг к другу и, может быть, впервые обнаружьте, что и полевой ваш разум как бы на месте и, в общем-то, присутствует (не забудьте внести необходимые изменения).
4. Если сможете, побеседуйте с каждым из этих умов на предмет повышения вашей витальности, а также (даже если вам не ответили) любым образом наладьте связи и взаимодействия между ними.

ГЛАВА 2. ПСИХИКА И ЕЕ СТРУКТУРЫ

Незрелый поэт подражает; зрелый поэт крадет; плохие поэты портят все, что попадет им в руки, а хорошие поэты превращают украденное в шедевр

Т. Элиот

Однажды на некой фабрике сломалась паровая машина, о сути обеспечивающая работу всех ее станков и агрегатов дело был в далеком от нас девятнадцатом веке — веке пара и лектричества). Ужас и депрессию, в которые впали руководсво фабрики и ее владельцы, не поддавалось описанию. Ведь ля ремонта данной паровой машины (да и прочих тоже), ее еобходимо было сначала вскрыть, а потом еще и заклепать. Іто неизбежно привело бы к огромным затрата и колоссальым убыткам — фабрика-то полностью прекратила бы свою работу. Однако на счастье как работников, так и управляющих, ашелся уникальный мастер, который взялся починить машину ез, так сказать вскрытия. Битый час он ее осматривал, общуывал, обслушивал и даже обнюхивал. А потом, вздохнув, стукнул юлоточком в какое-то загадочное место и паровое чудо (или удовище?) внезапно, как ни в чем ни бывало, начало работать так же хорошо, как и прежде.

Цену за свою работу мастер запросил немалую — аж целых 00 долларов, что по нынешнему курсу было бы никак не меньше десяти тысяч «зеленых».

— 100 долларов за один удар молотка? — возмущенно, но с отовностью согласиться, возвопило руководство фабрики — Не многовато ли будет?.

— Нет — спокойно улыбнулся в ответ мастер — Потому что за удар молотка я возьму только один доллар. А девяносто девять — за то, что знал куда надо ударить...

Вряд ли стоит повторять азбучную для нейропрограммирования истину о том, что человеческую психику можно уподобить (господи, да запомните вы, наконец: не приравнять, а только уподобить!) ну очень большому (по производительности) компьютеру. В котором *сознание*, столь любимое всеми без исключения психологами, соответствует, в лучшем случае, оперативной памяти. А все, чем является компьютер, равно как и все, за счет чего он этим является, сосредоточено в системном блоке означенного хитрого прибора, условно соответствующему *бессознательному*. Из чего следует, что, если вы в своей жизни хотите быть если и не хакером, то хотя бы юзером (но никак не лузером), надобно научиться хоть как-то пользоваться этим самым бессознательным — «винчестером». Поскольку именно в нем и заключается все то знание, которое сила. Каковое мы, увы, используем в лучшем случае с к.п.д. паровоза…

Немаловажно и то, что, по последним данным, именно бессознательное и вообще, и, в частности, решает практически все в нашей жизни. Так, опыты ихнего Б. Либбета и нашего Б. Смирнова (см. /6/) показали, что оно принимает решение за 0,5 сек до сознания. Которое (сознание) потом ловко передергивает карты, и как то даже нагло сообщает, что именно оно все и решило, да еще и вот почему. Причем врет оно при этом чисто конкретно. Например, заменяя подлинные мотивы этакими благовидными мотивировками, на что обратил внимание еще дедушка Фрейд. И вообще — если разобраться в этимологии слова «Сознание», то тогда получается, что оно произошло от сочетания слов «со-знание» или «совместное знание». Т.е. роль сознания как раз и только заключается в объяснении другим того, что на самом деле объясняется совершенно иными, нежели используемые, причинами…

Не будем лукавить: обучение инструкциям по работе с собственным бессознательным и составляет основу или базис ВСЕЙ работы по нейропрограммированию. Но поскольку последние мои слова настоятельно требуют вопроса «чего?» (нейропрограммирования чего в этом самом бессознательном?), в самом начале этой работы (хотя иногда можно и в конце) настоятельно необходимо знакомство со структурой и структурами этого хитрого феномена. Тем более, что в классическом НЛП гениальная мысль М. Эриксона о мудрости бессознательного и необходимости ее и его использования как-то растворилась во вполне сознательных схемах и конструкциях. И складывается даже впечатление, что данное нейролингвистическое программирование, декларироав работу с дикой природой бессознательного, ныне мирно и инно копается только лишь в уютном садике сознательного. Но ессознательное — это действительно наше все. Отчего мне и ришлось создать несколько отличные от общепринятых схемы модели) его структур. Но, еще раз (очередной) напоминаю: не стины ради, а исключительно продуктивной работы для…

2.1. О МУДРОСТИ БЕССОЗНАТЕЛЬНОГО

> Интуитивный разум суть священный дар, а рациональное мышление — преданный слуга. Мы создали общество, чтящее слуг, но забывшее о дарах.
>
> А. Эйнштейн

Название данного раздела, возможно, выглядит несколько патажно и даже ернически — ну сколько еще можно писать о Зеликой Мудрости Человеческого Бессознательного! Да ровно только, сколько нужно. И это нужно (его объем) все еще никак е достигнуто. Ибо и до сих пор даже среди психологов находятся люди, привычно низводящие Бессознательное до уровня удовищной помойки. Монстра, которому надлежит приручить рессировщику Сознания. Или Дракона, которого следует победить рыцарю Человеческого Разума.

Между тем все не так. Совсем не так. Чудовищно не так. Iотому что именно Бессознательное первично по отношению к еловеку. И побеждать его ничуть не умнее, чем пилить сук, на отором сидишь. Дабы не утомлять вас чрезвычайно интересными, но, увы, многословными теоретическими экзерсисами по оводу роли и сути Человеческого Бессознательного, позволю ебе только лишь коротко изложить воззрения по этому поводу дного из крупнейших представителей эриксоновской гипнотеапии С. Гиллигена /10/.

Прежде всего данный автор, развивая идеи М. Эриксона, выделяет четыре уровня, на которых можно рассматривать уникальность человеческой личности

— глубинное «Я»

— бессознательное

— сознание и

— содержание сознания;

что схематично можно выразить в следующем рисунке (рис. 4

Рис. 4

Глубинное «Я» в данной модели рассматривается как сущ ность личности, которая не может быть воплощена ни в како образе, определении или форме. Оно представляет собой то ритм и то самоощущение целостности, которое характеризуе уникальность человека. С. Гиллиген считает, что эта сущност неделима и является источником жизненной энергии и про дуктивности. А еще он предлагает представить себе это само глубинное «Я» в виде четырехмерного гипершара, сложенног в топологическую форму тора (успокойтесь — это всего-навсег бублик или, точнее, «шар в виде пончика»). Весьма замечатель ное свойство этого гипершара состоит в том, что любая точк внутри него представляет собой центр, описываемый тем ж преобразованием Фурье, каким математики пользуются дл получения голограмм — т. е. целое здесь содержится в любо из своих точек, как в голограммах. А теперь внимание: именн такой гипершар, именуемый еще «поверхностью Мебиуса», бы предложен Эйнштейном и Эддингтоном как модель Вселенной!!

Если надо, остановитесь на время и попробуйте переварить ту информацию о глубинном «Я» как человеческой душе. Я е пойду дальше и сообщу, что, по все тому же С. Гиллигену, ифференциация «Я» со временем приводит к возникновению истемы обеспечения нашей целостности, каковая и называется ***ессознательным***. Это инструмент, вычислительное устройство, отрясающе сложная информационная система, задача которой аключается, во-первых, в поддержании целостности «Я», а во-торых — в расширении его автономии.

На фоне или в поле бессознательного формируется ***сознание*** — весьма прямолинейное образование, главными функциями эторого являются структурирование информации в последо-ательности действий (это и есть пресловутые «мыслительные труктуры»), а также упорядочивание и определение взаимоот-ошений между понятиями. По С. Гиллигену, сознание — это екий регулятор или менеджер; *директор нашего «Я»*. Увы — по воей природе директор этот изначально консервативен, а отнюдь е продуктивен. Сознание — это наши роли, кибернетические етли, рациональные и целенаправленные планы, сценарии, тратегии и структуры. Через него проходят некие элементы, оставляющие ***содержание сознания*** — в основном индиви-уальные восприятия, образы и ощущения, а также познание и вигательные проявления.

Получается, что согласно С. Гиллигену, нас можно рассмат-ивать как уникальную сущность («Я»), работающую в рамках е менее уникальной психобиологической организационной сис-емы (бессознательное), использующую опять-таки уникальные тратегии в попытках достичь целей (сознание) и поглощенную в аждый данный момент конкретным психическим содержанием содержание сознания). Наиболее важный вывод, который можно делать из всей этой, на первый взгляд, тарабарщины — это то, то и ***бессознательные процессы представляют собой нечто азумное, организованное и продуктивное***. Более того — как еоднократно подчеркивал М. Эриксон, наше сознание очень азумно, но наше бессознательное намного умнее. Ибо, уже о Г. Бейтсону, (но по все той же книге того же С. Гиллигена), ознание склонно не замечать природы «Я» и внешнего мира, поскольку содержание его экрана определяется соображением цели. Сознание действует линейно — «Я хочу Г, Б выведет к В, а В — к Г, стало быть, Г может быть достигнуто через Б и В». ***Но мир, который нас окружает, не линеен*** (как не линейна и сама по себе психика) ! А значит, сознательно мы никогда не сможем его отобразить с достаточной степенью точности. И уж тем более не добьемся в нем успеха — в силу теперь уже понятной вам узости целенаправленного и рационального подхода сознания (отказ от которого или, по крайней мере, корректировка и есть, по Г. Бейтсону, существенная черта мудрости).

А теперь внимание — вопрос: вам вышеприведенная схема ничего не напоминает? Что — нет? Ну, тогда попробуйте сосчитать количество ее элементов — окружностей на рисунке. Что — их все-таки четыре? Ну, тогда давайте на секундочку представим, что некое витающее бог весть где глубинное «Я» решило в связи с какой-то своей целью (например, отпуск «по-дикому»: в жутко неблагоприятной, но страсть какой интересной среде) реализоваться в этом мире. Осуществляет оно сие по представленной С. Гиллигеном цепочке. То есть дабы не потеряться в среде, где существует много-много диких обезьян (как в Бразилии из фильма «Здравствуйте, я ваша тетя!»), это самое Глубинное Я сначала создает Бессознательное: ту самую систему обеспечения его (Глубинного Я) целостности, о которой пишет С. Гиллиген. Далее, дабы не только проявиться, но еще и осуществиться, Глубинное Я выделяет сознание, худо-бедно, но живущее по законам страшноватого мира, в котором довелось проснуться. В котором и начинается, простите за метафору, плескаться мутная вода содержания сознания, скрывающая и покрывающая и само сознание, и стоящее за ним бессознательное, и даже присутствующее за всем этим гениальное и бессмертное Глубинное «Я» (кстати, в иных школах его еще называют Истинным и Высшим...).

Сие — кратное и несколько даже вольное описание процесса инволюции Глубинного «Я» (а, может, просто Бессмертной Души?). Но тогда получается, что его эволюция (или опять-таки просто: возвращение домой...) совершается по обратной схеме или цепочке: содержание сознания → сознание в целом → бессознательное → Глубинное «Я». И, значит, четыре уровня человеческой жизни можно (а, может быть, нужно?) рассматривать с точки зрения этой последовательности. Но тогда как-то так само собой выходит, что на досоциальном уровне человек усваивает и осваивает содержание своего сознания (в основном — не всегда умные и уместные принципы и правила унитарной реальности). На социальном — плодотворно «пашет» на ниве своего сознания (логики, фактов, доказательств и выгод реальности сенсорной). На постсоциальном — как бы едва ли не впервые осознанно вступает в Храм своего Бессознательного (чувств и ценностей социальной реальности). Ну а на надсоциальном начинает чем дальше, тем больше соприкасаться со своим превосходящим все и вся Глубинным «Я» (интуитивных идей и возможностей реальности мистической). Потихоньку становясь тем, кем он всегда и был. Бессмертной Космической Сущностью, живущей вне времени и пространства, но иногда — забавы ради! — ненадолго ныряющей в мутноватый океан земной жизни…

ДС Содержание сознания (его восприятие)	С Сознание как таковое (его осмысливание)
Глубинное «Я» (интуитивное его созерцание и понимание) НС	Бессознательное (его эмоциональное принятие) ПС

2.2. СТРУКТУРЫ ПСИХОАНАЛИЗА И ПСИХОАНАЛИЗ СТРУКТУР

Человек — индивидуальное животное, способности которого ограничены, желания же бесконечны.

Г. Хэзлит

А теперь пойдем дальше и попробуем ответить на столь любимый нашим сознанием вопрос: о *структуре* человеческой психики в единстве ее сознательных и бессознательных компонентов.

Как известно, первым, кто ответил на данный вопрос был З. Фрейд, который предложил своеобразную «трехэтажную» модель, состоящую из Оно (Ид), Сверх Я (СуперЭго) и собственно Я (Эго).

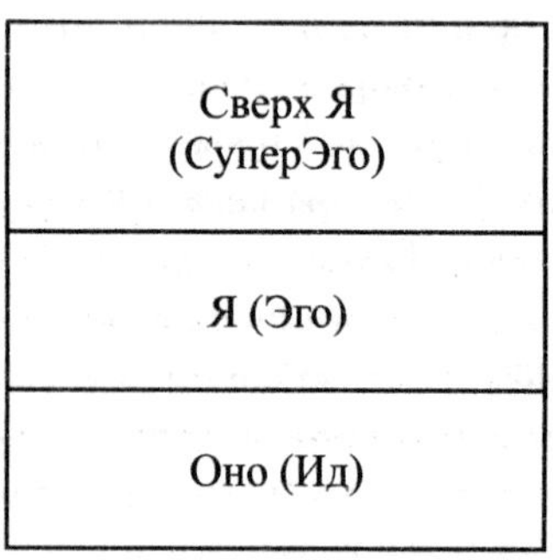

Рис. 5

На первом «этаже» нашей психики пребывает подсознательное Оно: некое импульсивное (живущее по принципу «Хочу!» и «Дай!») начало, находящееся во власти влечений и представляющее собой сумму инстинктивных побуждений (центральным из которых является сексуальный инстинкт).

На третьем «этаже» «живет» Сверх-Я, каковое являет собой своеобразную инстанцию распоряжений и запретов (так же, между прочим, бессознательную), возникающую в ребенке под влиянием социализации и олицетворяющее собой нормы и мораль.

Ну а между этими двумя антагонистами (влечения и мораль вечно находятся в противоборстве, ибо, как грустно заметил, не помню уже кто, все, что приятно в этой жизни, либо незаконно, либо аморально, либо ведет к ожирению) находится (мечется!) наше Я. Которое, пребывая как бы между молотом и наковальней, вынуждено примирять между собой «аморальность» Оно и «цензуру» Сверх Я (как говаривал Фрейд, Я — это наездник, который должен сдерживать силу лошади Оно).

Как видите, все логично, и не случайно подобное «трехкомпонентное» видение получило много других форм теоретико-психологического обоснования. Например, у Э. Берна оно приобрело вид существования в психике человека трех независимых и как бы не пересекающихся друг с другом Эго-состояний: импульсивного, непосредственного и творчески настроенного *Дитяти*; строгого и морализующего *Родителя* и рационального, ориентированного на результат и выгоду *Взрослого*. И это тоже логично, ибо, во-первых, мы никогда не можем одновременно веселиться, морализировать и следить за выгодой. А во-вторых, без любого из этих компонентов человек становится ущербным (без Дитяти в нем нет творчества и веселья; без Родителя — следования нормам, а без Взрослого — практичности и целесообразности). Однако, к сожалению, З. Фрейд (а за ним и Э. Берн) слишком уж приземлил психическую сущность человека, не оставив в своей модели никакого места для вышеупомянутого глубинного или Высшего «Я». К тому же вся человеческая активность души у отца психоанализа выводилась только из секса, а позднее — еще и из влечения к смерти. Естественно, что последователи и даже ученики З. Фрейда стали бунтовать, предлагая собственные модели. Одну из наиболее удачных из них создал К. Юнг.

Главным в его модели (а я не собираюсь разбирать ее детально) было прежде всего изменение отношения к бессознательному как к в общем-то помойке или к колонии несовершеннолетних преступников, контролируемых внутренними войсками Сверх Я. У З. Фрейда оно (бессознательное) рассматривается как источник энергии организма, вместилище подавленных побуждений и, увы, генератор всяческих симптомов и комплексов. У К. Юнга — как направляющая основа психики, «резервуар» личных воспоминаний и переживаний, а также вместилище неких архетипов как *коллективных* структур (коллективных в том плане, что они свойственны всем людям и схожи между собой у разных индивидов — так, все мы, несмотря на расовые и этнические различия, имеем по два глаза, уха, ноги и руки). Не буду подробно вдаваться в теорию Юнга — она довольно сложна и к тому же гениально запутана. Упомяну только, что именно у этого автора наряду с понятием о коллективном бессознательном (см. далее) возникло еще и понятие Самости как архетипа целостности, наиполнейшего человеческого потенциала и единства Личности как целого.

Этот регулирующий центр психического как бы является высшей властью в судьбе человека. То, к чему мы действительно стремимся, то, чего на самом деле добиваемся — наши истинные, но, увы, часто непонятные даже нам самим желания, цели и смыслы, определяются именно Самостью. А подлинная удовлетворенность жизнью и судьбой — шестое, утраченное многими нами чувство бытия, без которого, по Дж. Бьюдженталю мы являемся не более чем духовными инвалидами — определяется и задается именно Самостью (или, точнее, тем, насколько она — жизнь — этой Самости соответствует). Самость для Юнга есть нечто трансцендентальное и нуминозное. Это воистину «Бог в нас». «Начала всей нашей душевной жизни, — писал данный автор в своей книге «Психология бессознательного», — кажется уму непостижимым образом зарождается в этой точке, и все высшие и последние цели, кажется, сходятся в ней» (цитирую по: /13/).

Данные К. Юнгом описания пространства бессознательного поразительно интересны, и не случайно многие теоретики с удовольствием продолжают их исследовать и интерпретировать. Но я — человек практический, а значит, предпочитающий «работающие» схемы и модели. И потому мне несколько больше нравится структура психики, предложенная отцом психосинтеза (есть и такое — очень интересное — направление в современной психологии) Р. Ассаджоли /1/, каковую мы более или менее подробно рассмотрим далее.

2.3. «ЯЙЦО» АССАДЖОЛЛИ

Нет пути, ведущего к счастью. Счастье — это путь.
Будда

Не поднимайте изумленно ваши бровки. Ибо именно под таким веселым названием нижеприведенная (и действительно смахивающая на яйцо) схема и закрепилась в современной психологии.

В данной модели ***индивидуальное бессознательное*** (в свою очередь окруженное *коллективным бессознательным* — а это структуры Мира Архетипов Юнга и Высшей деятельностью Сверхсознательного характера) состоит как бы из трех слоев. ***Низшего бессознательного***, каковое ответственно за координацию телесных функций; инстинктивные стремления; сновидения, образы и комплексы, связанные с интенсивными эмоциями и пр. ***Среднего бессознательного***, в пространстве которого протекают наши переживания, а также обычная умственная и образная деятельность. И ***высшего бессознательного*** или ***сверхсознательного*** — источника высших чувств, любви, гениальности, а также состояний озарений и экстаза.

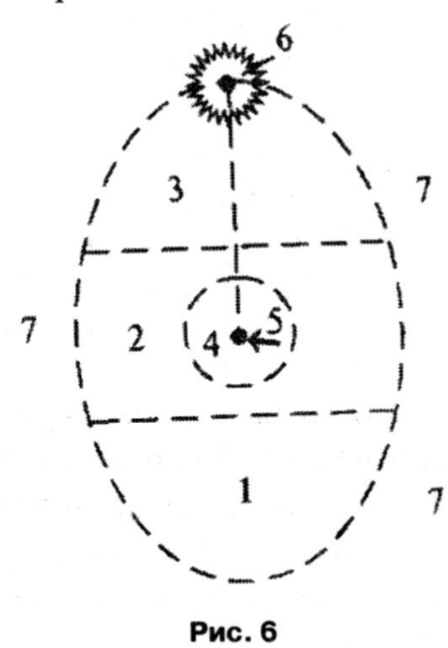

Рис. 6

1. Низшее бессознательное
2. Среднее бессознательное
3. Высшее бессознательное, или сверхсознательное
4. Поле сознания
5. Сознательное «я»
6. Высшее Я
7. Коллективное бессознательное

В «зоне» среднего бессознательного находится наше сознательное «я», главной особенностью которого является способность осознавать себя и окружающих — в ***поле сознания*** как непрерывном потоке ощущений, мыслей и чувств, каковые поддаются наблюдению, анализу и оценке. А на вершине и одновременно границе сверхсознательного и коллективного бессознательного покоится наше ***Высшее «Я»***, слабым (очень слабым!) отражением которого является наше сознательное

«Я» (оно как отблеск костра, но не сам костер). Это высшее «Я» (некий приблизительный аналог отдельных трактовок Самости К. Юнга и подлинный — глубинного «Я» и бессмертной души религиозных течений) не затрагивается ни потоком разума, ни телесными состояниями и может быть осознано (освоено, достигнуто) только путем интенсивного саморазвития…

Прошу обратить внимание на то, что модели психики З. Фрейда, К. Юнга и Р. Ассаджоли не очень-то согласуются между собой, хотя вроде бы описывают одно и то же. Наверное, именно поэтому в психологии никогда не прекращались попытки сделать нечто *интегративное* — как бы общую «мета-карту», органично включающую в себя частные «карты» трех вышеназванных авторов. Одна из наиболее удачных интегративных моделей психики человека была создана Р. Десоем — французским инженером, не просто ставшим впоследствии прекрасным психотерапевтом, но и создавшим новый ее (психотерапии) метод или инструмент: управляемые фантазии.

В топографической схеме Р. Десоя содержатся три фрейдистских (или все-таки фрейдовских?) элемента: Ид (Оно), Эго (Я) и СуперЭго (Сверх Я). Однако в нее добавлен и четвертый элемент: Высшее Я по Р. Ассаджоли, которое одновременно является аналогом Самости по К. Юнгу. Определял его Р. Десой как высшую степень восхождения (человека?) и, одновременно, состояние, выражающее высший идеал, которого человек может достичь в каждый данный момент. Противоположностью Высшего Я выступает Оно, демонстрирующее стремление к проявлению животных инстинктов. Таким образом, Высшее Я и Оно являются двумя полюсами, двумя противоположными точками человеческой психики, каковые никогда не совпадают и совпасть просто не могут. Между этими полюсами и колеблется наше Я (как поплавок или как то, что болтается в проруби — это уж вам выбирать) с включенным в него Сверх Я. Последнее, однако, по Р. Десою - это не более чем инфантильный, но деспотичный отпрыск нашего Я, отражающий запреты и требования родителей (и других власть имущих людей) в том виде, в котором они были восприняты нами в детстве. Между прочим, Р. Десой утверждал, что у действительно взрослой личности Сверх Я полностью заменяется Высшим Я, как бы растворяясь и исчезая в нем. Схему Р. Десоя можно представить следующим образом (рис. 7).

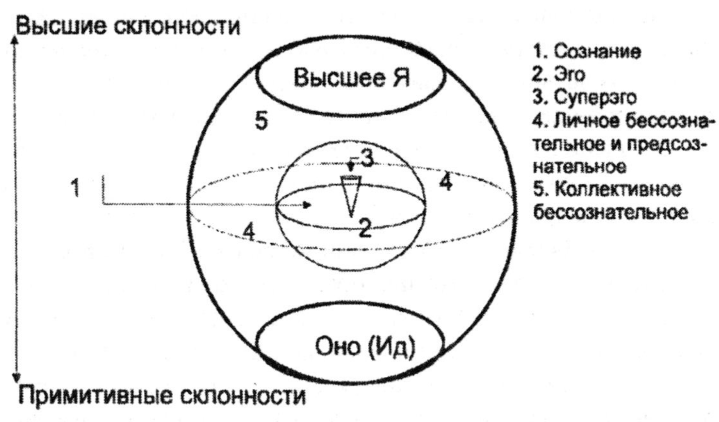

Рис. 7

Комментировать вышеизложенное я не буду – тем более, все эти (включая Р. Десоя) модели структуры и натолкнули меня на то, что будет описано далее. Однако здесь – в данном разделе – не могу не упомянуть, что работа в модели Р. Ассаджоли и более поздних ее дополненных или созданных мною версиях, привела меня еще и к любопытным выводам относительно роли трех видов бессознательного в жизни любого человека.

Примем за основу гипотезу о том, что главной функцией человеческого бессознательного является обеспечение *выживания*. И зададимся вопросом – кого? Ведь тогда получится, что бессознательное нижнее заинтересовано только лишь в физиологическом выживании индивида и вида (человека как телесного существа). Бессознательное среднее – конкретного общественного деятеля в полном и подлинном смысле этого слова (человека как социального существа). А бессознательное высшее – некоего потенциального обладателя Космического Сознания (человека как духовного существа). К тому же в данной модели у нас присутствует некое «четвертое измерение»: Высшее или истинное «Я» в его внепространственной и вневременной реализованности (опять пресловутая четверка!).

Тогда получается, что – увы и ах! – нижнее бессознательное обеспечивает выживание только телу. Да и то – в плане одной его ипостаси: этакого биологического контейнера, который способен осуществить воспроизводство вида «Homo Sapiens». А это значит, что с наступлением периода, когда это «контейнерное воспроизводство» становится, скажем так, весьма проблематичным (климакс у женщин и/или андрогенная пауза у мужчин), поддерживать в вас жизнь не имеет никакого смысла (напомню: только с весьма прямолинейной точки зрения низшего бессознательного). Скорее всего, именно этим и объясняется стремительное старение большинства мужчин и женщин, достигших этого возраста, а, точнее, состояния. Большинства, но не всех.

Ибо человек суть все-таки не только «двуногое и без перьев» (Аристотель), но еще и социальное существо. И ежели у него по достижении климакса и андрогенной паузы сохраняются некий жизненный смысл и/или достаточно важные общественные дела (как ни странно, но важные с его, а не общества, точки зрения), среднее бессознательное вышеизложенное как бы отменяет. И старение, и преждевременную смерть. Дабы человек сполна и вполне выполнил свою социальную функцию.

Беда, однако, здесь в том, что, например, в нашей стране (и, похоже, что только нашей) выход на пенсию означает одновременное прекращение практически любой социальной активности. И если у женщин (живущих в России чуть ли не на десять лет дольше, чем мужчины) сохраняется хоть какая-то общественная деятельность (в основном связанная с уходом за внуками и правнуками), то у мужиков ничего такого не наблюдается. Отчего и мрут они как те же мухи. В среднем (по статистике) даже не доживая до вожделенной пенсии. А на деле как бы осуществлял ритуальное самоубийство. В предвкушении собственной ненужности и никчемности…

А ведь выход есть, и еще какой – даже где-то и простой. В развитии собственной духовности. Открытии своей Миссии и Смысла жизни на этой Земле... Поразительно, но факт: люди начисто забыли смысл употребляемых ими слов. Касается ли это русских «Спасибо!» («Спаси вас Бог!»), «Пожалуйста» («Пожалуй вас господь сто лет жизни») или «Благодарю» («Благом отдарю»). Или латинских «Религия» («re ligare» – восстановление связи, разумеется, с Богом), «ресурс» (re source – воссоединение с источником, сиречь с Истоком всего сущего) и «ремиссия» («re mission» – возвращение Миссии). Да, это именно так. И привычно повторяя (с легким, притом, удивлением) «У больного наступила ремиссия», врачи даже не подозревают, что они говорят. «К нему вернулась Миссия и Высшее Бессознательное его «выздоровело!» Примеров – множество. От полного излечения неизлечимого Луиджи Микелли в святых водах Лурда, до опять-таки исцеления и ну очень долгой (а какой славной!) жизни великого нашего Александра Исаевича Солженицына (в обоих случаях речь шла о безнадежной онкологии). И не случайно К. и С. Саймонтоны, авторы первой официальной системы лечения рака, почти чисто психологическими методами /23/, по слухам, любили изводить своих пациентов бросающим в оторопь вопросом: «Скажите, а зачем вам жить? Может, уже настало время умереть?» И испуганные люди часто таки находили ее – свою, пусть маленькую, но миссию. Почти гарантированно приводящую к исцелению…

2.4. СТРУКТУРЫ ПСИХИКИ В ЭКЗИСТЕНЦИАЛЬНОМ НЕЙРОПРОГРАММИРОВАНИИ

Искусство быть мудрым заключается в умении не тратить время на ненужное.

У. Джеймс

Чем дальше и глубже я работал в базовой для Восточной версии нейропрограммирования модели Р. Ассаджолли, тем меньше она меня устраивала. А после рождения экзистенциального нейропрограммирования оказалась и вовсе недостаточной. В результате мне пришлось попробовать создать модель психики (еще раз напоминаю — только модель!), которая позволила бы понять, с чем конкретно мы имеем дело, работая в Космосе Человеческого Бессознательного.

Доя начала мне пришлось разобраться с инстанциями. Этого самого Бессознательного: своеобразными координирующими центрами, отвечающими за развитие человека (по мере ее личностного роста) и даже как бы определяющих его. Этакими контрольными пунктами ралли длиною в жизнь. В итоге их оказалось аж четыре вместо одного. *Эго. Личина. Индивидуальность*. И *Личность*.

Сразу оговорюсь: я не собираюсь в этой, в общем-то, при всей серьезности материала, научно-популярной книжке давать четкие дефиниции (определения) всему, что только не встречается. Тем более, что об этом постарались за меня и до меня. Так вот, под Эго следует здесь понимать примерно то же, что и у Фрейда. Под Личиной — первичную «сборку» личности в виде этакого набора ролей, которые человек обязан и вынужден исполнять, буде он хочет остаться социализированным (интегрированным) в общество, а не выпавшим из оного. Под Индивидуальностью — некое индивидуальное же своеобразие, вырастающее вопреки Личине и отличающее его от его же идеализированно-социализированного образа. А под Личностью (именно так: с большой буквы) — своеобразный высший уровень развития человека как индивида, представленный в этом мире немногими персоналиями уровня, например, только что упомянутого А.И. Солженицына. Соответственно, именно данные ипостаси человека и являются своеобразными «точками сборки» на каждом уровне его жизнедеятельности.

ДС Эго	С Личина
Личность НС	Индивидуальность ПС

То есть в данном контексте задачей досоциального уровня жизни выступает создание адекватного Эго (первичный центр Я). Социального — формирование Личины (напоминаю, что это вынужденно-принятая система ролей и связанных с ними функций, амплуа и масок). Постсоциального — оформление индивидуальности (как личностного своеобразия). И надсоциального — создание полной и подлинной Личности. Того самого человека, который действительно звучит гордо (М. Горький).

Осуществляется все это развитие в борьбе между полярностями, которые описывали З. Фрейд, К. Юнг и иже с ними.

ДС Супер-эго ***Эго*** Ид (Оно)	С Персона ***Личина*** Супер-эго
Сущность ***Личность*** Самость НС	Самость ***Индивидуальность*** Персона ПС

Если принять за основу данную модель и развернуть ее, так сказать, в динамике, то получается, что Фрейд был прав. Абсолютно и непреложно — но только для досоциального уровня развития человека (похоже, что практически все его клиенты были не просто дезадаптированы, но еще и недосоциализированы...).

Из диффузного и всеобъемлющего Исходного «Я» (аналогии с развоплощенной Тьмой, из которой — от которой — нужно умудриться прийти к Воплощенному Свету Высшего Я (додумывайте сами), выделяется Оно (Ид) в типично фрейдистском его толковании (см. выше). Каковое дополняется фрейдистским же Супер-Эго, образующим два полюса существования Эго (ну что я могу поделать — опять же фрейдистского!) как первой устойчивой формы самопрезентации индивида. И именно здесь, в нижнем бессознательном (и только, кстати, здесь) и происходит столь красочно описанная З. Фрейдом борьба между злодейскими импульсами Оно и тотальным контролем Сверх Я, где, как между плахой и секирой, мечется наше несчастное Эго. И именно здесь не принятое и признанное неприемлемым переправляется в соответствующие зоны Низшего бессознательного, образуя пресловутую Тень (это уже по Юнгу). При этом вся зона Низшего бессознательного, по большому счету, отвечает не только инструментальному уровню развития и жизни индивидуума, но еще и унитарной реальности тупого усвоения правил и принципов.

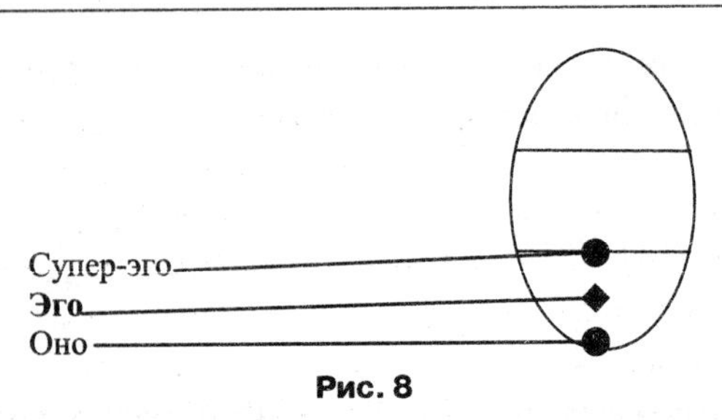

Рис. 8

Затем развитие (оно же борьба) — но только при успешном прохождении «досоциалки» — продолжается уже на социальном уровне. Где во взаимодействии таки принятого Супер-эго и репрезентирующей идеальный (и недостижимый) образ себя Персоны рождается Личина: болванка и заготовка будущей личности. Свершается сие действо не только в сенсорной реальности, но еще и на первой — нижней — половине среднего бессознательного.

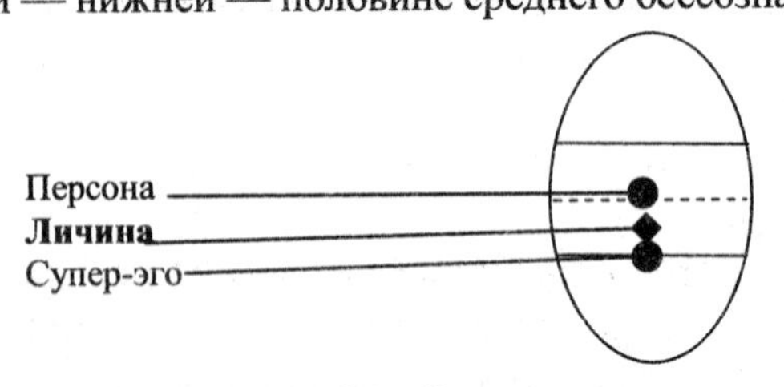

Рис. 9

Далее человека начинает приоткрываться постсоциальный уровень развития. На котором и формируется индивидуальность. В ценностно-чувственном мире социальной реальности. Второй — верхней — половине среднего бессознательного. А также во взаимодействии карикатурно-идеализированной Персоны и Самости: подлинного центра организации Бессознательного и весьма даже симпатичного прообраза будущей Личности.

Рис. 10

Однако человек все равно останется чем-то незавершенным без участия репрезентирующей Высшей «Я» его Сущности. И именно во взаимодействии ее и Самости и формируется (если формируется...) подлинная Личность, способная соединить воедино не сводимые на примитивном уровне Миры. Космический (квантовый) мир Сущности. И земной (физический) Мир Самости. В мистической реальности идей и возможностей, знаменующей и подтверждающей завершение земного цикла Бытия и переход на следующий, лежащий уже в других мирах и измерениях уровень развития...

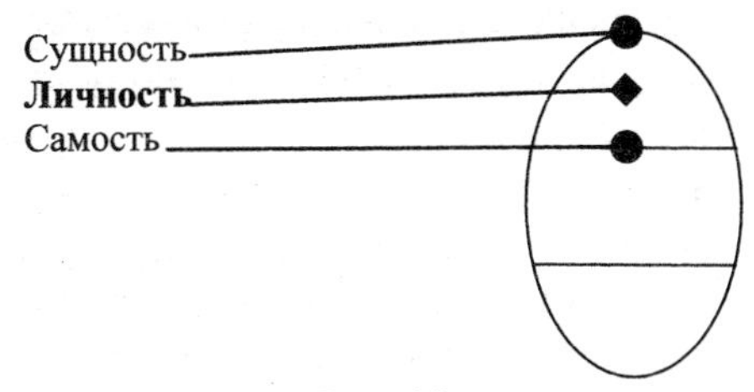

Рис. 11

И это (пока!) все об этом. По принципу: «умному достаточно». Тем более, что далее вы познакомитесь с еще одной структурной моделью — весьма практического, кстати, толка: с Командой вашего «Я»...

2.5. КОМАНДА НАШЕГО «Я»

Пока каждый не захочет, никто не получит

Неизвестный мудрец

Эта — последняя в книге, но не последняя из мною созданных — структура появилась как реакция на путаницу и неразбериху в так называемых Самостоятельных Единицах Сознания. Неких функциональных паттернов (программ), осуществляющих жизнедеятельность человека на бессознательном уровне. Чтобы вы легко «врубились» в вышевоспроизведенную наукообразную бредятину, поясню, что те самые 96 % бессознательных программ, которые так любят упоминать психологи, осуществляются именно СЕС. Которых сначала почти что даже и нет, но потом они сознательно создаются, а далее весьма даже бессознательно действуют. Например, вы (я надеюсь) водите машину чисто бессознательно (потому что, если вы делаете это только лишь сознательно, вы не водитель, а обезьяна с гранатой). Так сказать, на автомате. При этом начисто забыв о том, как же сложно вам было управляться с «железным конем» в период сознательного обучения. Сие касается всего: ходьбы, плавания, чтения, письма — и т. д., и т. п. Потому как овладение чем угодно — это перевод этого «чего угодно» на бессознательный уровень (с обязательным параллельным созданием соответствующей СЕС).

В психологии и психотерапии Самостоятельными Единицами Сознания занимались так рьяно и так по-разному, что, в конце концов, я слегка озверел. И пришел к выводу, что если самые различные авторы и в самых разных системах, не только психотерапии, но еще и прикладной психологии, а также философии, в итоге приходят практически к одному и тому же, пусть и по-разному «обзываемому», феномену Самостоятельных Единиц Сознания, то это значит только одно. Психотерапия и психология СЕС должна быть выделена в качестве совершенно самостоятельной области. Ибо, по всем формальным признаками, мы здесь имеем «различия, порождающие различия» (Г. Бэйсон). И необходимо признать существование некой иерархии этих самых СЕС, включающей как Высший Административный совет, так и простых работяг.

Здесь естественно встал вопрос о структуре этой «самоиерархии». И после долгих (впрочем, не очень) исследований, и куда более коротких раздумий (я привык доверять выводам Бессознательного) обнаружилось следующее (и как интересно обнаружилось!). Во время психотерапии с СЕС (см. далее) с использованием внешней проекции (это когда ее образ высаживают на стул или просто помещают где-то в пространстве) четко выделились пять типов проекций. Высокообобщенный (довольно-таки абстрактный) образ себя. Образ себя же, но, так сказать, контекстный. Нечто человекообразное, но не имеющее отношения к самому себе (на него не похожее). Нечто весьма даже живое, но не человекообразное. И, наконец, что-то вещественное, но не очень-то живое, а, скорее, материально-энергетическое. В результате я принял — вначале как удобную модель для работы — что в первом случае мы — скорее всего имеем дело с некоторым организующим центром психики человека (иначе называемым «*Первым Я*). Во втором — с представителями системы его *идентичностей*: как человека, мужчины, специалиста и т. п. (хорошим подспорьем для анализа этой системы является тест «Кто я?», где первые 7 ± 2 ответа как раз и описывают эту систему). В третьем – с конкретными «репрезентантами» опять-таки *системы*, но уже *субличностей* человека (тех самых Рубахи-парня, Застенчивого Недоноска и иже с ними, которых так любят описывать в психосинтезе). В четвертых — *с конкретными частями*, что-то непосредственно делающими для человека (любимая вотчина НЛП). Ну, а в-пятых — *с его* же, но *субчастями*: многочисленными отдельными ощущениями (приятными или не очень), сопровождающими это делание.

При этом Первое Я человека выявляется с большим трудом: как некоторое осознание/ощущение «Я как целостность». Идентичности – посредством вопросов «Кто я?» (например, Мужчина). Субличности — «Какой я?» (например, как Мужчина я могу быть Трусливым Мужичком и еще много кем). Части — «Что я делаю?» (например, будучи Мужчиной, но Трусливым Мужичком, я бегу прочь от любой ситуации конфронтации). Ну а субчасти — «Что я чувствую» (например, в идентичности Мужчины субличности Трусливого Мужичка, который бежит сломя голову от ситуации конфронтации, я ощущаю леденящий ужас внизу живота). Однако сложности здесь связаны с тем, что, во-первых, в соответствии со знаменитым числом Миллера (7 ± 2), которое, похоже, является архетипичным для психики человека, одна личность может иметь 7 (семь) базовых идентичностей, 49 (сорок девять) субличностей, 343 (триста сорок три) части и 2401 (две тысячи четыреста одну) субчасти. Во-вторых, точкой сборки проблемы может быть любое звено иерархии, но вот только относящееся к так называемым ЛПРам (лицам, принимающим решение). И остается только радостно изумляться способности нашей психики к самоорганизации. И ревностно бороться с ее (самореализации) нарушениями, когда, например, осатаневшая субчасть забирает себе все бразды правления и, извините, просто плюет на вышестоящих частей, субличностей, идентичностей и даже Первое Я.

Кстати, все нерешаемые проблемы с Первым Я оказались весьма (и даже легко) понятны в свете концепции четырех уровней развития. Потому что, согласно оной, у нас в идеале может быть не одно, а ЧЕТЫРЕ Первых Я. Эго. Личина. Индивидуальность. И Личность. Но буде даже праведники иногда и орут, и срываются, в исключительных (ну очень сложных!) случаях даже у представителей надсоциального уровня и мистической реальности возможны временные «помутнения». С соответствующим снижением уровня Первого Я – часто аж до Эго (и это – с Личности!). Что и объясняет (и очень легко) всякие необъяснимые девиации морального и психологического порядка, которые случаются сплошь и рядом. Причем не только в плане понижения уровня, но иногда и его повышения…

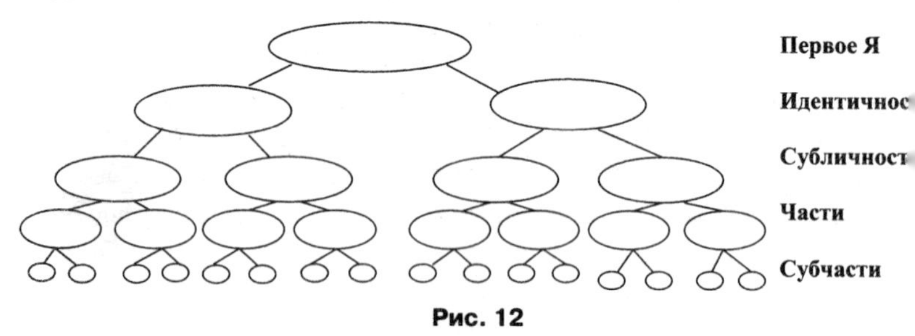

Рис. 12

При взгляде на эту структуру само собою напрашивается любопытный вывод. Как известно, в системе современной психологии индивидуальных различий выделяются такие психотипизационные характеристики, как личность, характер и темперамент. При этом если не влезать в дебри психологических теорий, личность человека можно определить как то, ради чего он действует, а характер как то, как он действует. Куда более развитая психология темперамента выделяет три ведущих компонента оного: активность, моторику и эмоциональность. Но тогда можно резонно предположить, что структура (система) идентичностей соответствует **личности** человека («Кто я?» и есть основа того, ради чего человек действует). Система (структура) частей – его **характеру** («Что и как я делаю?» - это как раз о нем). Ну а система (структура) субчастей – **темпераменту** («Как я реагирую – насколько активно, с каким двигательным компонентом и какой эмоциональностью?»). Оставшаяся как бы даже «не у дел» структура (система) субличностей, по-видимому, выделилась неслучайно. И соответствует на самом деле такому ну очень интересному феномену, как **индивидуальность** («Какой Я во всем этом и из-за всего этого?»). Тогда вышеприведенную структуру можно отобразить по-другому

Рис. 13

Что, в общем-то, также позволяет предположить, что первым в любой ситуации с окружающей средой взаимодействует, реагируя на нее «моторно» и эмоционально, но с различным уровнем активности, именно темперамент: регулирующие его и наименее осознаваемые субчасти. В случае затруднений включается характер: наши многочисленные части, ответственные за то, что и как делать в сложившейся ситуации. У действительно повзрослевшего человека далее (в случае, если проблема не ликвидирована) начинает работать индивидуальность: своеобразная система предпочтений, основывающаяся на субличностном: «Какой я?» И, наконец, в случае, если и в этом случае оптимальное решение так и не выработано, в действие вступает его величество Личность, как бы проверяющая сложившуюся ситуацию на предмет того, ради чего здесь стоит действовать и, соответственно, как…

Обращаю внимание наиболее вдумчивых читателей на то, что, во-первых, этапы формирования человека как Homo sapiens тоже можно разложить по данной схеме

ДС Темперамент	Характер С
Личность НС	Индивидуальность ПС

То есть сначала — на досоциальном уровне — он более всего управляется темпераментом. Далее, на уровне социальном — характером. На постсоциальном уровне включается и развивается индивидуальность. А надсоциальный уровень знаменуется рождением подлинной Личности — с, так сказать, большой буквы…

Упражнение 6.

Попробуйте вспомнить все случаи своей жизни, когда вопреки всякой логике и естественному ходу событий, именно бессознательное спасало вам, буквально вытаскивая «… из всех притонов и всех подвалов» (А. Вознесенский).

Упражнение 7.

Проанализируйте — не только смеха ради

- основные ну совершенно возмутительные посылы и позывы вашего ИД
- привычнее реакции на это вашего СуперЭго
- то, как в этом случае чувствует себя ваше Я

Упражнение 8.

- Объясните кому-нибудь доброжелательному (можно и себе, но в зеркале) модели Ассаджоли и Десоя.
- Проанализируйте применительно к собственной жизни информацию о функциях Низшего, Среднего и Высшего Бессознательного.

Упражнение 9.

Попробуйте проанализировать

- ЛИЧИНУ, которую вы привычно надеваете (роли, амплуа, маски)
- ПЕРСОНУ, которая выражает ваши идеализированные представления о «настоящем человеке»
- ИНДИВИДУАЛЬНОСТЬ, которая пытается вылезти и вырасти из данного,гм, удобрения…

Упражнение 10.

Дабы еще более ощутить свое, так сказать личностное своеобразие, ответьте на два вопроса:

- «Кто я?» (это о личности) и
- «Какой я?» (а это об индивидуальности).

ГЛАВА 3.
МОДЕЛИ ЖИЗНИ И ЖИЗНЬ В ЗЕРКАЛЕ МОДЕЛЕЙ

Принимая средства за цель, люди разочаровываются в себе и других, в силу чего из всей их деятельности ничего не выходит или выходит обратное тому, к чему они стремились.

И. Гете

Однажды некий праведник, заснув, обнаружил, что оказался в магазине, за прилавком которого стоял сам Господь Бог

— Ужель это ты, Господи? — вскричал он.

— Я — сдержанно ответил Бог.

— А что здесь у тебя можно что-то купить? — спросил праведник.

— Здесь у меня можно купить все — строго ответствовал Господь и, подумав, добавил — Причем задаром.

— Тогда дай мне, пожалуйста, счастья, любви, благополучия, здоровья, успеха и много-много денег!

Бог поощряющее улыбнулся, ушел в подсобку магазина и вскоре вернулся с ну очень маленькой коробочкой.

— Здесь все, что ты просил — сказал он.

— Как все? — изумился праведник и, открыв коробку, обнаружил в ней несколько зернышек.

— Да, все — подтвердил Господь — Потому что я продаю только семена. А вырастить все, что ты просил, ты должен сам...

В данном разделе речь пойдет не о каких-то там психологических премудростях, а о вполне конкретной вещи или, точнее, вещах. Как вы помните, одним из главных и в ВВН и в экзистенциальной психотерапии является так называемый закон воплощения. Согласно которому (напомню), в жизни любого человека воплощается только то, что есть в его голове (Сознании с большой буквы). И никогда не воплощается то, чего в ней (в том, на что обычно надевают шляпу), нет. Истина, как вы сами понимаете, бесспорная. Предполагающая, однако, что наполнение означенной головы или голов нужно совершать не абы как, а по некоторым хорошо зарекомендовавшим себя схемам, сиречь, моделям. Естественно — вашей экзистенции на различных уровнях иерархии ее репрезентации. В качестве каковых в данном разделе предлагаю следующие:

- цикл бытия
- «Русская матрешка-SK»
- нейрологические уровни
- хорошо сформулированный результат
- «Мерседес-SK»

Разумеется, это далеко не все то, что я разработал и использовал даже к моменту написания этой книги. Но, безусловно, наиболее употребимое и полезное для наполнения любой еще не полной (или не тем полной) головы, при чем при необходимости — строго последовательно и как бы «под завязку»...

3.1. ЦИКЛ БЫТИЯ

Мало кто из мужчин решил бы жениться, если бы он не преследовал ближайшую цель, а представлял конечный результат.

В. Швебель

Это первая (и довольно простая на вид) модель, в силу своей стратегичности является исходной для анализа человеческой экзистенции. Своеобразными «входными воротами» в будущую жизнедеятельность клиента. Дело в том, что большинство людей ну очень плохо представляют себе, чего они хотят для себя в, так сказать, полном объеме. Как правило, они видят свою жизнь весьма фрагментарно, что вполне допустимо при, так сказать, тактическом консультировании, но весьма нежелательно при консультировании стратегическом. Ибо экзистенция человека суть системное явление. Которое следует рассматривать целостно и в контексте содержания сменяющих друг друга этапов и стадий жизнедеятельности.

Так вот, разработанная для совершенно другого случая, модель метапрограмм НЛП согласно которой люди преимущественно ориентированы на что-то одно в качестве этакой «точки сборки» реальности (то, что они имеют; что — делают; что — знают; с кем — взаимосоотносятся и кем — являются) оказалась здесь ну очень к месту. Но только тогда, когда я понял, что она оказывает не фрагментарные ориентации людей в выборе аспектов их жизни, но системную ее — жизни — последовательность. И на начальных стадиях применения модели цикла бытия именно это и являлось главным рабочим моментом, позволяющим как бы ухватиться, как за единственно доступное звено цепочки жизнедеятельности «иметь», чтобы впоследствии, вместе с клиентом выяснить нечто большее. А именно, что надо делать, чтобы иметь то, что он желает. Что нужно знать, чтобы это делать. С кем нужно вступить для всего этого во взаимоотношения. И, наконец, кем быть или стать.

При этом подобный анализ проводился (впрочем и сейчас проводится) как в целом (по всей последующей жизни — например, второй ее половине), так и по отдельным ее — жизни — этапам и стадиям. В последнем случае было не столь уж и важно, какую временную градацию использовать для как бы разбиения будущей линии жизни на отдельные отрезки. Двенадцатилетний цикл восточного гороскопа. Любой из трех четырехлетних подциклов внутри него. Или нечто иное. Важно было просто понимать, что жизнь человека обязательно состоит из неких этапов или стадий. Содержание которых может быть весьма и весьма различно — примерно так, как различаются между собой детство, отрочество, юность, зрелость и старость. И эти различия следует учитывать, а еще — под них надо меняться и подстраиваться. Однако *кардинально* различным является только содержание выделенных нами уровней жизни. Все остальное же в ней вполне может быть описано с помощью модели «цикл бытия». Потому что в любом из этапов и в любой стадии жизнедеятельности (и жизни в целом) есть нечто общее. А именно то, что оказавшись перед лицом изменений нам обязательно надлежит решить — не важно, последовательно или параллельно (хотя лучше все-таки последовательно) следующую цепочку задач:

Что иметь — физически и психологически?

Что делать — в общем и в частности?

Что знать — для дела и для души?

С кем вступать во взаимоотношения — эффективности ради и удовольствия для?

Кем быть — для себя, для других, для мира и Бога?

Сокращенно эта довольно-таки великая модель опять-таки только лишь репрезентируется нижеприведенной схемой.

Быть
Взаимоотноситься
Знать
Делать
Иметь

Однако использоваться она может ну очень по-разному — причем настолько, что здесь я позволю себе сделать только некий абрис вариантов ее применения.

Например, классический вариант работы с циклом бытия (кратко вышеупомянутый) предполагает, что при анализе будущего этапа вашей жизни (как в целом, так и — строго отдельно — по разным направлениям типа здоровья, взаимоотношений, любви/секса, работы и денег) вы стартуете с того, что понимаете лучше всего. А именно что вы хотите иметь: в данном плане и на данном этапе. В принципе, начинать можно с любого уровня, осознанного клиентом — просто если он будет, так сказать срединным, идти придется сначала вниз, а потом уже вверх; а если самым верхним, то только вниз.

Хочу иметь ______________________

Отлично. Тогда, дабы цикл этот, согласно небезызвестному закону, нашел свое воплощение — сначала в вашей голове, а потом и в реальности — придется пройтись по всей вышеприведенной цепочке в этаком «куммулятивном» (нарастающем, накапливающем) варианте.

Чтобы иметь то, что я хочу, я должен делать ____________

Чтобы делать и иметь это, мне необходимо знать _________

Чтобы делать, иметь и знать то, что мне хочется и надо, я должен вступать во взаимоотношения ______________________

Чтобы иметь, делать, знать и вступать во взаимоотношения, которые я хочу и каковые мне надо, мне необходимо быть ______________________

То есть в, так сказать, идеале — мы в этом случае имеем дело с этакой матрицей, каковую (половину оной) придется заполнить

	Иметь	Делать	Знать	Вз-ся	Быть
Иметь	X				
Делать		X			
Знать			X		
Вз-ся				X	
Быть					X

Однако в этом — уже довольно полном — варианте «прохода» по циклам бытия как-то (куда-то) исчез аспект свободной воли — во всем, кроме «иметь». Поэтому для прочного и точного усвоения данной модели в частности и материалов этой главы в общем, попробуйте, взяв за основу любой вновь начинающийся этап вашей жизни (неважно — в чем именно или конкретно), заполнить следующую таблицу.

	Надо	Хочу
Иметь		
Делать		
Знать		
Вз-ся		
Быть		

Но — не торопитесь. Потому как перед тем, как наполнить чем-нибудь любой сосуд, его обязательно надо опорожнить (особенно — если это ночная ваза…). А это значит, что все что вам не надо и не хочется экзистенции для, нужно сначала (тоже) описать, а после и исключить из своей жизни: эффективности и счастливости ради. В том числе и то, что когда-то было важным и нужным, а теперь уже только лишь привычным и чуть надоедливым (вариант «чемодан без ручки»: и нести тяжело, и выбросить жалко — а если он еще и со старьем…). И что точно нужно убрать, чтобы не тратить на сие драгоценную свою энергию — витальности ради…

	Не надо	Не хочу
Иметь		
Делать		
Знать		
Вз-ся		
Быть		

Разумеется, простой констатацией фактов здесь никак не отделаться — необходимо еще и создавать своеобразные планы действий по поводу всех этих «Иметь или не иметь» (Э. Хэмингуэй). Но это уже является функцией следующей модели: так называемой «Русской матрешки-SK».

3.2. РУССКАЯ МАТРЕШКА — SK

Чтобы обучить другого, требуется больше ума, чем чтобы обучиться самому

М. Монтель

Да простит меня читатель за столь частое использование аббревиатуры SK (сиречь Сергей Ковалев)) ! Но что поделаешь, если иного способа хоть как-то отличить свое от чужого я не нашел, а использовать ныне сплошь и рядом применяемую «технику переименования» (не симороновскую, если кто знает, а совсем простую: «украл и переименовал») совесть не позволяет — да и честь запрещает…

Так вот, весьма почитаемые мною Л. Деркс и Я. Холландер, авторы одного из лучших учебника по нейролингвистическому программированию /7/ привели в этой книге некую иерархию приоритетов изучения нейролингвистического программирования, каковую назвали «Русская матрешка».

Согласно данным авторам, *освоение* НЛП должно (ну просто обязано!) начинаться с усвоения его пресуппозиций (исходных положений); продолжаться по цепочке «отношения → раппорт → информация → техники », а завершаться определением предпочтений и навыков человека в использовании всего вышеописанного.

Рис. 14

Однако, когда я познакомился с этой моделью, то с удивлением обнаружил, что за счет дополнения одного элемента и некоторого видоизменения другого мы можем получить универсальную систему анализа чего угодно (и даже более того — всего что есть).

Рис. 15

Что можно расшифровать с помощью следующих вопросов.
Мета-цель: Зачем?
Принципы: Как?
Целевые отношения: Откуда – куда?
Раппорт: С кем?
Информация: На основании чего?
Техники: Каким образом?
Предпочтения: Что я люблю, а что – умею?

В принципе, далее можно было бы ограничиться информацией о том, что и действительно *любая* деятельность (и жизнь с ее подцелями и иными ипостасями – тоже), во-первых, включает некую, отражающую ее смысл *мета-цель* (то, ради чего она затевается). Во-вторых, она основывается на некоторых *принципах* – по сути, базовых положениях, без которых невозможно ни начать, ни двигаться (типа – для науки – «молекулы состоят из атомов» или «любой организм есть системно организованная совокупность клеток»). В-третьих, она находит свое выражение в неких *целевых отношениях*: гласных (как даже негласных) соглашениях о цели и процессах этой самой деятельности. В-четвертых, обязательно включает *раппорт* со своим, так сказать, предметом (именно раппорт, т.к. просто контакт может запросто закончиться взаимным разрушением). В-пятых, там безусловно присутствует некоторая *информация* (в т.ч. в виде обратной связи, по поводу того, куда мы зашли и как вообще дошли до такого). В-шестых, деятельность эта осуществляется посредством неких *техник* – конкретных способов осуществления отдельных действий. А в седьмых, из всей этой совокупности действий мы используем не все наличествующие, но только лишь те, кто соответствуют нашим *предпочтениям* (что нравится) и *навыкам* (что умеем).

Вот, собственно говоря, и все, что необходимо, хотя и недостаточно знать о модели «Русская матрешка – SK». А недостаточно потому, что термин «матрешка» здесь очень даже причем, поскольку все как бы нижележащие уровни данной модели полностью подчиняются вышележащим. Отчего провал, например, в мета-цели автоматически означает полный, простите, бардак в принципах, отношениях, раппорте, информации, техниках, а также предпочтениях и навыках.

Хотите пример? Да пожалуйста! Например, характер бизнеса, которым многие из нас якобы желали бы заниматься, сразу же задается не всегда явно выраженной *мета-целью*. И, если вы по ней хотите просто уйти от нищеты, очень может быть, что *принципами*, на которых вы построите это свое дело, будет «осторожность» и «разумность» (или даже «никакого риска»). *Отношения* между вами и бизнесом как таковым будет протекать под лозунгом «лучше меньше, да лучше». *Раппорт* вы станете устанавливать только с теми его ипостасями, которые продемонстрируют свою добротность, разумность и предсказуемость. *Информацию* использовать в плане преимущественного выявления возможных рисков (а отнюдь не возможностей). *Техники* использовать простые, как мычание. А *предпочтение* отдавать тому, что усвоили бог знает когда – во времена оные. И все это (а значит, и бизнес, как таковой, и построенная на его основе жизнь) будет в корне отличаться от того ну совсем-совсем другого, который исходил из мета-цели «придти к богатству» (и в отличие от вас пришел).

Так что, дабы осуществить прояснение, а заодно и воплощение своей экзистенции на некоем ее этапе, вам надобно пройтись по всем разделам «Русской матрешки». Как?

Во-первых, определитесь с мета-целями: тем, что для вас сейчас должно стать главным. Например, в стандартной древнеиндийской, если так можно выразиться, модели целей жизни предусматривалось следующее основное, удивительно ложащееся на мою модель «Четырех четвертей пути»:

- получение чувственных удовольствий
- достижение материального благополучия
- обретение дела, которому вы будете служить и/или
- постижение и открытие полной и подлинной духовности.

Естественно, что в соответствии с характером этапа или стадии использовать из этого списка можно только что-то одно.

Во-вторых — разберитесь с *принципами* (пресуппозициями), посредством которых вы сможете реализовать эту свою мета-цель. Т.е. «чисто конкретно» спросите себя: «Во что надо верить, чтобы достичь своей мета-цели?» Увы — тут я вам не помощник, поскольку вариантов здесь может быть множество. Например, для материального благополучия это может быть убеждение «Я тот, кто вполне может заработать большие деньги»; для чувственных удовольствие — «в сорок (пятьдесят, шестьдесят, семьдесят…) лет жизнь только начинается»; для обретения своего дела — «Я вполне могу все бросить и начать успешно заниматься любимым делом», а для высшей духовности — «Просветление возможно и… не опасно (!)».

В-третьих, определитесь с *целевыми отношениями*: теми самыми соглашениями о конкретных достижениях (их образах и способах). Здесь просто (и конкретно) ответьте, чего вы хотите в рамках своей мета-цели, и как вы это собираетесь получить. Проще всего — через так называемую схему (модель) НС → ЖС, а именно

Настоящее состояние → Процесс →
Желаемое состояние (результат)

В-четвертых, начинайте *раппортировать* и «конгруэнтничать» (с чем/кем именно?) Да со всем, что входит в результат и процесс. С собой (каким именно?). С другими (кем именно?) и Миром (где, когда и как?). И Богом (во имя чего?).

Далее, в-пятых, наступает время *информации*: той, которая вам ну совершенно необходима для достижения желаемого. Вот только учтите, что вам нужно иметь два типа информаций. О том, что вам следует *внешне* знать по поводу обретения вожделенной цели: о процессе; способах и этапах ее достижения. И о том, что *внутренне* понять о себе — прежде всего в плане того, какими ресурсами и способностями вы обладаете «достижения для» и как эти способности и ресурсы можно (и нужно!) использовать и предъявлять.

Ежели вы как следует разобрались с информацией, можно уже, в-шестых, говорить о *техниках* — т. е. неких способах действий, позволяющих обрести искомое. После чего разобраться с тем, что «в-седьмых»: с *предпочтениями и навыками*, потому как, во-первых, не все из способов действий вам «по плечу», а во-вторых, не все они вам нравятся (и тех, которые вам не нравятся, вы бессознательно будете избегать: т. е. либо не использовать, либо использовать неэффективно).

Несмотря на то, что эту книгу я бессознательно стремился сделать ну очень краткой (для чего сознательно избегал любых примеров, кое-что как бы намекну.

Предположим, например, что вы внезапно с глубокой горечью поняли, что как раз явно недостаточное материальное благополучие (пресловутая артха) и не позволяет вам жить так, как вы хотите. Тогда начните с *мета-цели* и задайтесь вопросом:

а зачем вам оно — это самое благополучие? Если действительно для того, чтобы обрести некие (мне не известные) эффективность и счастье (например, чтобы узнать как можно больше о чем-то, восстановить здоровье или просто жить в свое удовольствие), можно уже идти дальше. Но если вы хотите обрести материальное благополучие ради материального благополучия, лучше засуньте свои желания и пожелания в …, ну, в общем, туда, куда хотите. Ваше желание не только глупое, но еще и опасное, потому что, как сказал кто-то ну очень мудрый, деньги должны быть вашими слугами, или, в противном случае (иначе), они станут вашими господами. А этаких Гобсеков и Скупых Рыцарей, тупо восседающих на сундуках с золотом, мир и без вас уже достаточно насмотрелся…

Теперь надо бы четко определить *принципы* обретения этого самого благополучия. Какие именно? Ну, извините, вам виднее. Например, можно начать с того, что материальное благополучие, во-первых, вы будете обретать честным образом (а не то еще «грохнете» кого-нибудь во достижение желаемого). Во-вторых, легко, расслабленно, т. е. особенно не напрягаясь (а не то ведь можете обрести искомое ценою здоровья, а то и жизни). В-третьих, не изменяя любимому делу (а не то еще займетесь совершенно незнакомым вам, а, главное, нелюбимым родом деятельности — например, финансовыми спекуляциями). В-четвертых… Впрочем, хватит. В общем, думайте сами.

Далее следует разобраться с *отношениями цели*, каковые, напоминаю, раскрываются через модель НС-ЖС. Итак, с чего вы там стартуете (настоящее состояние дел или НС) ? С дохода в 400 у.е. в месяц? А чего хотите? Незнамо чего, но чистого, белого и сладкого, как мороженое? Ну, так мороженым все и закончится — если, конечно, вы не определитесь с желаемым состоянием дел (ЖС) четко, конкретно и недвусмысленно.

Теперь *раппорт*. Скажите, а как вы в связи со своей уже более или менее четкой целью собираетесь сохранять гармоничные отношения

- с собой
- с другими и
- с миром?

Что, непонятно? Ну, тогда не взыщите. Ибо, если вы в своих материальных устремлениях придете в противоречие с самим собой, я вам просто не завидую: небезызвестный поэт, храбро наступивший на горло собственной песне, как известно, закончил выстрелом в сердце. Не лучше обстоит дело и с нарушением (несохранением) раппорта с другими — например, с близкими. Вы уверены в том, что ваша семья поддержит и выдержит ваши эскапады? Что же касается дальних (тех же возможных деловых партнеров), то каким и как вы собираетесь быть с ними? Надеюсь, не настолько, простите, простодырлым, чтобы декларировать принцип «полюбите нас черненькими, а беленькими нас кто угодно полюбит»?

Наконец, мир. Как — именно и конкретно — вы заручитесь его поддержкой и что предложите за нее? То есть, каким таким образом сделаете шаг навстречу миру, чтобы он, согласно не всем известной поговорке суфиев (немного переиначенной), сделал десять шагов навстречу вам? Ведь иначе может оказаться правдой другая переиначенная поговорка: «Не плюй на мир, потому что, если ты плюнешь, он легко утрется, но если он плюнет, ты просто утонешь».

Ладно, хватит с вас. Про необходимость информацию и нужные способы действия (техники) ничего писать не буду. Тем более, что первая вполне описывается знаменитой римской формулой «Кто? Что? Где? Когда? и Как? (Каким образом?) », а вторые могут быть легко получены посредством заполнения ну очень простой схемы «Отсюда (НС) → Туда (ЖС) – надеюсь, вы сами догадаетесь, что в маленькие кружочки можно (и нужно) как раз вписать необходимые действия.

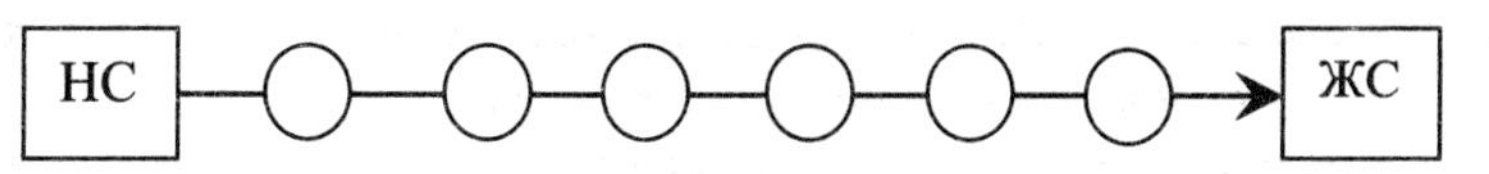

Рис. 16

3.3. SK-НЕЙРО-ЛОГИЧЕСКИЕ УРОВНИ

Если я рассуждаю логично, это значит только то, что я не сумасшедший, но вовсе не доказывает, что я прав.

И. Павлов

Эта — пусть и третья, но ох же какая важная! — модель описывает в экзистенциальном нейропрограммировании *отношения* человека с миром его экзистенции, а также *деятельность* и *взаимодействие* с ним. При этом она может служить надежным компасом и даже просто подспорьем для перехода с одного уровня жизни на другой.

Как и всегда, в основе того, что в результате получилось, лежала одна из идей нейролингвистического программирования. Точнее — непосредственно Р. Дилтса. Который, познакомившись с идеей логических типов и категорий научения Г. Бейтсона (вы с ней уже тоже познакомились), пришел к выводу о существовании вполне конкретной иерархически организованной пирамиды логических уровней следующего вида (есть и немного другая «картинка», но эта считается наиболее презентабельной)

Рис. 17

Согласно точке зрения данного автора, уровни эти соответствуют шести фундаментальным вопросам, которые мы используем, чтобы организовать нашу жизнь: где, когда, что, как, почему и кто.

Окружение: Где? Когда?
Поведение: Что?

Способности: Как?
Убеждения/ценности: Почему?
Идентичность: Кто?

Усвоив в свое время данную модель во время обучения в канадском институте НЛП, я стал ее активно применять в своей терапевтической практике. Каковая, увы, буквально споткнулась на двух ну очень серьезных моментах.

Во-первых (чисто практически), во время проведения клиента по этим самым уровням и у меня, и у него постоянно возникало чувство какой-то то ли пустоты, то ли незавершенности. Как будто мы (но следуя гению Р. Дилтса) что-то там пропускаем — ну очень важное и нужное.

Во-вторых (чисто теоретически), как профессиональный психолог, окончивший не психологическое отделение какого-нибудь Тмутараканского профессионально-технического училища (ПТУ), но факультет психологии Московского государственного и точно университета, я никак не мог взять в толк, как можно помещать на один и тот же уровень убеждения и ценности, которые суть совершенно разные психологические категории (в подробности вдаваться не буду), отвечающие к тому же на разные вопросы.

Ценности: Зачем?
Убеждения: Почему?

Тем более, что из курса психологии и просто из житейской практики я знал, что убеждения превалируют над ценностями, и, значит, никак не могут смешиваться в одну кучу (а кто не верит в это или это же не понимает, см. «Сорок первый» Б. Лавренева — рассказ и фильм по рассказу, в конце которого большевичка Махрютка из чисто идейных соображений убила беззаветно любимого ею поручика Говоруху-Отрока: бесконечно для нее ценного, но, в силу убеждений, ставшего сорок первым «беляком» в списке ее «красноармейских» достижений).

Ответ я нашел уже потом, через несколько лет, когда учил английский не для сдачи кандминимума, а для будущей жизни в местах и странах, где он является основным. Оказалось, что в этом хитром языке оба вопроса — и «Зачем?», и «Почему?» задаются одним и тем же словом: убежденческим «Why?» Однако уже до этого, и сначала чисто экспериментально, а потом уже и подогнав под эти эксперименты соответствующую теорию, «сварганил» собственную модель нейро-логических уровней (см. ниже). Которая лично мне (но, к слову, и моим последователям тоже) кажется куда как более логичной, нежели дилтсовская.

Рис. 18

А знаете почему? Да потому, что в, так сказать, укрупненном варианте эта модель НЛУ представляет три обобщенных уровня отношений человека с его жизнедеятельностью. ***Инструментальный*** (окружение, поведение, способности). ***Интенциональный*** (намерения, ценности, убеждения). И ***смысловой*** (идентичность, миссия, смысл). Те самые, которые были представлены в известной притче о трех каменотесах. Первый из которых на вопрос: «Что ты делаешь?» сердито буркнул: «Дроблю эти проклятые камни!». Второй устало сказал: «Зарабатываю на жизнь». А третий просветленно ответствовал: «Строю храм!».

Обобщенные уровни	Частные уровни	Ключевой вопрос
Смысловые	Смысл	В каком таком мире?
	Миссия	Во имя чего?
	Идентичность	Кто?
Интенциональные	Убеждения	Почему?
	Ценности	Зачем?
	Намерения	Для чего?
Инструментальные	Способности	Как?
	Действия	Что?
	Окружение	Где, когда и с кем?

Теперь о главном. С учетом данной, только что представленной структуры и того, что было ранее сказано, попробуйте понять следующую весьма интересную мысль по поводу человеческой экзистенции. Что люди, пребывающие в этом мире, вовсе не равны в причастности к его благам и возможности воспользоваться ими. Ибо есть те, которые живут *окружением* и для которых все возможности мира сводятся только лишь к комфортным условиям существования — а остальное их особо не интересует. Ни то, что они делают. Ни то, как они это делают, и что вообще могут. Ни то, чего они действительно хотят (не в частности, а в общем — по жизни). Ни то, зачем им все надо. Ни то, во что они верят (и во что стоит верить). Ни то, кем они являются по своей уникальной сути. Ни то, зачем они пришли в этот мир. Ни то, чем он — мир — на самом деле для них является. Наличествуют и пребывающие преимущественно в *действиях и деятельности*, и в связи с этим в общем-то отслеживающие собственное окружение, но особенно не задумывающиеся о способах своих действий (сиречь, способностях), а также их — действий — целях (намерениях), значимости и важности (ценности), сопутствующих верованиях со всей их экологичности (убеждения), собственной уникальности (Идентичность), своем Предназначении (Миссия) и назначении Мира и Бытия (Смысл).

Присутствуют и те, кто озабочены своими *способностями* (и в их контексте — необходимыми окружениями и действиями), но как бы просто так — без учета сопутствующих *намерений, ценностей, убеждений, Идентичности, Миссии* и *Смысла.*

И есть те, каковые... — впрочем, хватит, ибо суть вы уловили, а нагромождать и дальше описание того, на что обращают внимание (а точнее — ради чего живут) люди намерений, ценностей, убеждений, Идентичности, Миссии и Смысла вряд ли стоит — сами разберетесь. Так что обратите внимание на главное. На то, на каком логическом уровне бытия вы сейчас застряли. И на то (особенно — в связи с этим самым «застреванием»), что жить-то лучше всего высоким. Сиречь (в идеале) на уровне Смысла или же (хотя бы) Миссии...

Практические выводы из вышеизложенного главного достаточно просты, но притом воистину грандиозны. Во-первых, никак не стоит (ну не надо — толку не будет) рассматривать собственную жизнь как-то ну очень приземлено — на инструментальных ее уровнях. Потому что тогда она гарантированно превратится в бестолковое (т. е. «без толка») существование с коэффициентом полезного действия ниже паровоза (напоминаю, что это всего 4 %) — и зачем Вашему Бессознательному включаться в этом, примитивном, случае?

Во-вторых, несмотря на то, что высшие уровни в любой иерархии управляют, так сказать, нижележащими, полезно все-таки, даже исходя из уровня Смысла, озаботиться соответствием оному содержания вашей миссии, идентичности, убеждений, ценностей, намерений, способностей, поведения и окружения. Дабы еще при жизни ее — жизнь — вкусить. И насладиться ее же плодами. Сполна, т. е. живя не только эффективно, но и счастливо. Потому как примеры прозябающих при жизни, но всенародно признанных после смерти (часто мучительной и скоропостижной) всяких гениев, меня как-то не очень вдохновляют. И, кстати, противоречить самой сути экзистенциального нейропрограммирования. Согласно которому, и выполнение некой «сверхзадачи», и наслаждение (при том) условиями и обстоятельствами собственной жизнедеятельности (именно так: не «или-или», а «и-и») только и является полноценной жизнью (а не существованием), как ее понимает наша хитрая наука (не вообще психология, а ЭНП в частности).

И третье важное — но не последнее (есть еще много чего, с НЛУ связанного). Дабы, выражаясь метафорическим языком, благозвучная (или не очень) мелодия (или песня) вашей жизни звучала полнозвучно и гармонично, не играйте ее, используя только одну или даже несколько нот (сиречь нейро-логических уровней). Используйте весь аккорд из девяти нот-уровней с, как я уже это отметил выше, созвучным, а не диссонансным звучанием. Что — и первое, и второе, и третье — в общем-то не так уж и тяжело/сложно достигается. За счет использования психотехнологии, представленной в конце этой главы…

3.4. ХОРОШО СФОРМУЛИРОВАННЫЙ РЕЗУЛЬТАТ

Кораблю, который не знает куда плыть, ни один ветер не будет попутным

Сенеко

А это уже самая что ни есть конкретика, с которой больше всего (и чаще всего) и приходится возиться, воплощая туманные фантазии клиентов в стройную программу достижения «выплывающих» из этого тумана целей жизнедеятельности (но лучше все-таки после анализа цикла бытия, русской матрешки SK и нейро-логических уровней...). Форма репрезентации данной модели довольно-таки проста, а вот содержание может быть фантастически сложным.

Что касается формы, то здесь вам всего-навсего надо ответить на семь вопросов, позволяющих не только опредметить некую вашу цель, но и осознать определенные (крайне важные) условия ее осуществления.

Цель. Чего я хочу?

Признаки. Как я узнаю, что достиг своей цели?

Условия. Где, когда, как и с кем мне это необходимо/желательно? И (если надо) где — нежелательно?

Средства. Что мне нужно и важно, чтобы достичь своей цели?

Ограничения. Почему я не достиг своей цели раньше?

Последствия. Что случится, если я достигну своей цели? И что, если я ее не достигну?

Ценности. Так стоит ли все это моих усилий?

А для того чтобы вы разобрались с содержанием используем некий пример.

Предположим, что вы условно женщина, в качестве ***цели*** на данном этапе своей экзистенции хотите *безусловной любви с условным или не очень сексом*. Скажите тогда, чего вы действительно хотите, согласно вопросу о цели? Например, кем именно стать и быть и что конкретно иметь. Определитесь-ка с этим ну хотя бы в первом приближении, потому как иначе (я, разумеется, шучу, хотя все это очень и очень серьезно), вы, например, станете женой алкоголика и будете иметь не нормальный секс, а кучу проблем на свою бедную, но глупую голову?

Есть такая ну очень хорошая песня с удивительно мудрыми словами, которые являются абсолютно и вневременной истиной в последней инстанции: «Кто что хотел, все получил сполна». Ибо независимо от того, знаете вы об этом или не знаете (и даже от того, верите вы в это или нет), в настоящее время вы имеете то и только то, что вы хотели. И являетесь тем, кем действительно хотели стать и быть. А ежели вам все это имеющееся не нравится — не то получили и не тем стали — то это только потому, что хотели вы не того и неправильно. Так сказать, «де юре» (сознательно) декларировали нечто «разумное, доброе, вечное», а «де факто» (бессознательно) желали чего-то совершенно иного и, увы, неэкологичного. Или вовсе ничего не желали, плывя по жизни, как бревно по течению...

Помните про **закон воплощения**? Так вот, согласно этому непреложному принципу любой человеческой жизни, в ней воплощается то, что действительно «бродит» в вашей голове. Причем настолько четко, насколько это там прояснено. И если желания ваши неясны и туманны, и их воплощение так же будет неясным и туманным. А с учетом того, какое количество, простите, дерьма вы тащите из детства, скорее всего, еще и ужасным (тот самый ужас без конца, лучше которого только ужасный конец). Нужен пример? Да пожалуйста. Три любимых женских сценария — на мудреном языке психологов «неосознанных жизненных планов», безусловно и безоговорочно воплощающихся в жизнь благодаря «героическим» усилиям жестко и почти навсегда запрограммированного родителями бессознательного ребенка, — носят названия трех любимых сказок. «Золушка». «Красная шапочка». И «Красавица и чудовище» (у нас «Аленький цветочек»). И все три чудовищно неудачны по своим замыслу, естеству и сути. Потому что в «Золушке» все заканчивается свадьбой с прекрасным принцем, а что делать, дальше сценарием не предусмотрено. В «Красной шапочке» четко прописано только то, как искать на свою бедную женскую голову приключения с оттенком садо-мазо. А в «Красавице и чудовище» вообще недвусмысленно утверждается, что любое чудовище может стать принцем, а если оно таковым не становится, надо искать новое чудище. Так что никакое «Когда я его встречу, тогда и решу» здесь не годится, потому как на этой самой встрече все и закончится, так всерьез и не начавшись. Посему предлагаю вам следующую формулировку:

Признаки. *Когда я его найду, мы поженимся, а после будем вместе жить долго и счастливо.*

Уже неплохо (хотя и окончательно хорошо по не очень строгим критериям), и знаете почему? Это уже можно вообразить, а значит и воплотить! Себя на первом свидании, а потом — в ЗАГСе и далее в светлой совместной жизни: вот только непонятно — с кем?!

Так что третий вопрос — об ***условиях*** — напрашивается как бы уже сам собой. **Где** вам это необходимо? Ну, наверное, *в родном городе*, хотя, ежели вы хотели бы жить в столице или вообще за пределами нашей Родины, уточните — а то окажетесь в каком-нибудь Козложопинске. А **когда** вам все это надо? В третьем тысячелетии (большую часть которого мы с вами проведем в гробу) ? После дождичка в четверг? Учтите: бессознательное не любит достигать неопределенные по срокам достижения цели, так что «цели для» жестко уточните, скажем, так, период достижения — например, *«до конца этого года»* и т. п. Теперь насчет **как**. Что, непонятно, зачем это? Скажите, а, к примеру, устроит ли вас похищение в стиле «Кавказской пленницы» Л. Гайдая? Или регистрация в мечети при том, что вы православная? Так что определяйтесь — например, уточнив моменты *«по любви»* и «в *ЗАГСе»*, а также прочие важные. Ну а напоследок (и это в одном только вопросе!) наше **с кем**. Что, уж здесь-то понятно? Ну, слава богу! Итак (к примеру), *с мужчиной* (буде вы не лесбиянка) *в возрасте от 30 до 45 лет* (старики нам ни к чему, но учтите, что и вы не девочка), *без вредных привычек* — каких (на фиг нам бабники, куряки, алкоголики и прочее); *хорошо* (насколько?) *обеспеченным* (мужика самой содержать — только портить...); *с приличной* (какой?) *жилплощадью* (это если у вас коммуналка) и, как говорится, и т. д. и т. п. Нет, если вы хотите получить в Занзибаре (где?) в 2025 году (когда?) путем продажи в рабство (как?) одноногого и одноглазого негра-наркомана (с кем?), тогда не уточняйте всего этого. Но уж и не сетуйте потом.

Итого, своеобразное резюме третьего вопроса выглядит так:

Условия. *В Москве, не позднее января-месяца следующего года; посредством вступления в законный брак с мужчиной, отвечающим следующим параметрам:*

____

____

____

И это уже и наглядно, и видимо, а значит, воплощение в голове и уточнился, и пополнился.

Теперь четвертый вопрос: о ***средствах*** (они же ресурсы). В принципе, с ним все намного легче, ибо «духоведы всех стран» всегда были единодушны в том, что *процесс* достижения желаемой цели лучше вовсе не определять (достаточно граничных условий как — и баста, а то скуете творческую фантазию собственного бессознательного), а имеющие прямое отношение к этому самому процессу *ресурсы* как бы найдутся и сами по себе… Да, найдутся и еще как — но только в рамках ваших представлений о них (опять закон воплощения!). Отчего совсем не лишним будет, во-первых, ободрить, а во-вторых, насторожить себя, четко определив, что вам может помочь, а что — помешать.

Сделать это не очень-то и сложно, если воспользоваться так называемым методом SWOT-анализа по следующей матрице.

Сильные стороны	Возможности, из них вытекающие
Мои слабые стороны	Опасности, из них следующие

В принципе, SWOT-анализ можно осуществить для чего угодно, но прежде всего для того, что вы собираетесь использовать в качестве ***средства*** достижения цели (а вы этим средством в данном случае и являетесь). Например, сильные ваши стороны и вытекающие из них возможности могут выглядеть так.

Я молода	А это значит	*Что я могу рассчитывать на внимание молодых людей*
Я красива	А это значит	*Что я могу претендовать на весьма серьезные отношения*
Я умна	А это значит	*Что я буду интересна умным и интеллигентным мужчинам*

И т.д. и т. п.

Тогда как слабые ваши стороны могут быть представлены следующим образом.

Я болтлива	А это значит	*Что я могу отвратить другого и должна уметь молчать и слушать*
Я авторитарна	А это значит	*Что я могу излишне наезжать на партнера и просто обязана быть способной уступать*

И опять-таки и т. д., и т. п. Надеюсь, что вам здесь все ясно. Хотя не могу не заметить, что в отличие от классического психологического консультирования, где мы не только определяем все эти про — и контра-ресурсы, но и уточняем, как их конкретно использовать, в данном случае мы в основном только лишь, так сказать, актуализируем их в Сознании для последующего воплощения по известному вам закону…

Средства. *Молодость, красота, ум, умение молчать и слушать, способность уступать* (и т. д., и т. п.).

Пятый вопрос — об ограничениях (почему я не достигла цели раньше?) важен не менее, чем в приснопамятные социалистические годы пятый пункт анкеты (если кто не знает, сообщу, что там спрашивали о национальности). А и вправду: чего это вы, такая молодая, умная и красивая, до сих пор не вышли замуж за приемлемого мужика? Не нашли искомого? Боялись? Не сумели привлечь и удержать? Не верили, что это возможно? Или просто считали себя недостойной — кого-то хоть в чем-то достойного? Увы — это я, конечно же, о *психологических* барьерах на пути обретения желаемого.

Ограничения. *Не могу увидеть избранника, боюсь неудачи, не умею привлекать и удерживать мужчин, не верю в то, что это возможно, и считаю себя недостойной дурнушкой при всей моей красоте, уме и молодости.*

Ну и как вам все это? Ничего и даже не слишком? Или настолько слишком, что вы уже опустили лапки и собираетесь умереть раньше смерти? Так вот — это все от недостатка мотивации, каковая может быть двух видов:

— К («морковки») и

— От («страшился»).

Да, это я о шестом вопросе. ***Последствия.*** Скажите, а вы способны связно и достаточно подробно описать, что случится, если это (в данном случае замужество) произойдет? (Это вопрос о мотивации)

Что, нет? Ну, тогда вам нужно не формулирование результата, а серьезная психотерапия. Потому как это ваше смутное, но упорное нежелание суть верхушка огромного айсберга, 7/8 которого покоятся в глубинах вашего бессознательного. И без соответствующей проработки все эти «подводные камни» запросто, как «Титаника», утопят все ваши прекраснодушные замыслы и начинания. Хотя постойте, может, мне все-таки удастся все это преодолеть с помощью вопроса о мотивации От: Что случится, если это (здесь: замужество) не произойдет? Что, ничего хорошего? А поподробнее? *Останусь старой девой, реализуюсь только лишь как Синий Чулок, не буду счастливой в браке (и т. д.*, и т. п.). Что, даже это вас не мотивирует? Раз так, вам придется всерьез поработать со своими хотениями, чтобы хоть так преодолеть свое внутреннее торможение, не разбираясь в его естестве и сути — или все-таки обратиться к хорошему психотерапевту...

Последствия. *Самые плачевные, потому что теперь я отчетливо поняла, что на самом деле я замужества почему-то никогда не хотела и практически смирилась со своим одиночеством.*

Потому что иначе вам не удастся — или, наоборот, теперь наконец-то вы сможете — убедительно ответить на вопрос о ценности результата — т. е. о том, стоит ли игра свеч...

Ценность. *Безусловно, замужество стоит того, потому что __________. И, если надо, я схожу к психотерапевту, а то ведь так я точно навсегда останусь в девках, о чем и думать-то страшно. Так что я просто обязана захотеть так, чтобы смочь...*

3.5. МОДЕЛЬ «МЕРСЕДЕС-SK» КАК ОСНОВА ПЛАНИРОВАНИЯ ИЗМЕНЕНИЙ

> Почти все наши неудачи являются следствием наших ошибочных представлений о том, что с нами происходит.
>
> Стендаль

А это уже самая последняя, и даже как бы и довольно простая модель (последняя только для этой книги), которая применяется для конкретной или, если хотите, практической репрезентации материала, с которым мы работаем уже на уровне психотерапии. Называется эта модель «Мерседес-SK» за явное сходство с трехлучевой звездой, являющейся эмблемой данной марки (рис. 21).

Справедливости ради надо сказать, что она, с одной стороны, является логическим развитием достаточно известной в нейролингвистическом программировании модели «Мерседес», включающей три сектора (внутреннее состояние, внешнее поведение и внутренняя переработка), каковые окружает адаптивная реакция; а с другой, «восходит» к постулированной еще в начале прошлого века структуре социальной установки как включающей в себя аффективный (эмоции), конативный (поведение) и когнитивный (нечто познавательное) аспекты. Однако модель «Мерседес-SK» достаточно сильно отличается от своих предшественников (т. е. имеет «различия, создающие различия» — Г. Бейтсон).

Рис. 19

Во-первых, в ней четко разделены содержательные и обеспечивающие процессы (точнее — элементы) в психике человека (так, в классической модели «Мерседес» в состав сектора «внутренней обработки» входят субмодальности как нечто содержательное, в то время как у нас они обеспечивают функционирование программ и карт Образов Самого Себя, состояний, поведения, убеждений и реакций на убеждения в качестве своеобразных *микрокодов*).

Во-вторых, идентичность как система Образов Самого Себя (каковая во все той же «классической» модели опять-таки оказывалась «втиснутой» во внутреннюю обработку (!), заняла в модели «Мерседес-SK» достойное место центрального элемента психики человека, объединяющего и организующего и его состояние, и его поведение, и его убеждения, и, конечно же, реакцию на окружение.

Впрочем, оставим теоретические дискуссии и обратимся к модели «Мерседес-SK». Согласно ей, человеческая жизнедеятельность протекает в некоем ***окружении***, каковое он использует и осваивает за счет системы адаптивных реакций, включающих ***состояния*** (души и тела), ***способы поведения*** и ***систему убеждений*** (а также пресуппозиций и мысленных стретегий). При этом неким объединяющим началом для всего этого является ***совокупность Образов Самого Себя*** как содержательно-процессуального аспекта идентичности человека (не случайно последнюю как раз и определяют как «…представления, организующие способности, убеждения и поступки человека в целостную единую систему знаний о себе и *своем Я-образе* (По: /22/ с. 40.).

Наиболее адекватной данная модель представляется для области среднего бессознательного (то есть именно там она более всего и пригодна), хотя, с другой стороны, «Мерседес-SK» способен достаточно полно описывать все пространство психики человека, выступая в качестве некой горизонтальной ее составляющей (рис. 22).

То есть мы вполне можем констатировать наличие как *мета* — (для высшего бессознательного), так и *суб* — (для бессознательного низшего) уровней Образов Самого Себя, состояний, поведения и убеждений. В первом случае можно говорить о репрезентации своей Божественности, а во втором — Низменности: и все в рамках модели «Мерседес SK».

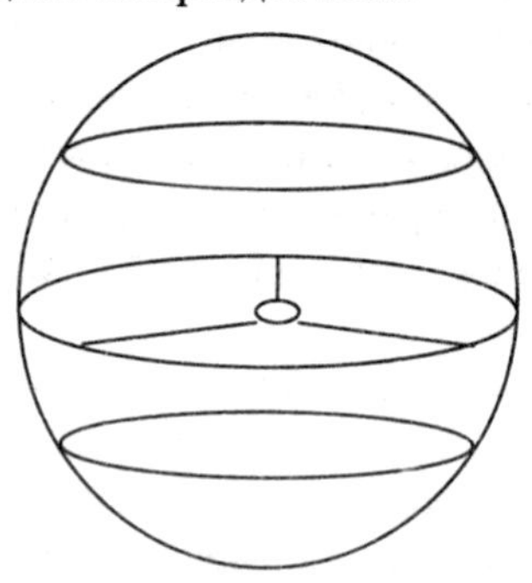

Рис. 20

Оставим, однако, детальное рассмотрение этого вопроса для более поздних публикаций, а пока вернемся к области психокоррекций, для которой, собственно, эта модель вначале и создавалась. И отметим, что, во-первых, любая жалоба (или запрос) клиента может быть достаточно четко разложено по модели «Мерседес-SK», а, во-вторых, она позволяет достаточно четко рассклассифицировать психотехнологии, используемые в экзистенциальном нейропрограммировании в качестве базовых.

В первом случае речь идет о том, что уже сама по себе формулировка жалобы или запроса клиента позволяет отнести репрезентируемое нарушение к определенной области (сектору) модели «Мерседес SK» (и, соответственно, подобрать техники психокоррекции). Например, жалоба типа «Меня достали!» преимущественно касается *окружения*; «Мне плохо» — состояния, «У меня не выходит» — *поведения*; «Я не понимаю или не верю» — убеждений, а «Я какой-то никакой» — *Образов Самого Себя.*

Соответственно (во втором случае) и техники психокоррекции (но не психотерапии) в ЭНП для данного (ну очень простого случая) можно подразделить на психотехнологии

- контекста
- состояний
- поведения
- убеждений и
- Образов Самого Себя.

Упражнение 11.

Распишите свой предстоящий цикл бытия: как в целом, так и по отдельным составляющим (здоровье, взаимоотношения, любовь/секс, работа, деньги — или нечто иное, более вам интересное).

Упражнение 12.

Возьмите какую-то более конкретную тему (например, свое материальное положение, которое почему-то никого не устраивает...) и осуществите воплощение оного по «Русской матрешке-SK».

Упражнение 13.

Определившись с тем, чего вы там все-таки хотите, пройдите с этим содержание по нейрологическим уровням, осуществляя еще более конкретный дизайн данной области своей экзистенции. Для чего, разложив на полу девять листов («Окружение», «Поведение», «Способности», «Намерения», «Ценности», «Убеждения», «Идентичность», «Миссия», «Смысл»), последовательно пройдите по ним (спиной), добросовестно, но не натужно (в мечте), воображая

1. Что, где и когда вас там окружает?
2. Что вы делаете в этом окружении?
3. Как вы это там теперь делаете?
4. Чего вы при том хотите?
5. Зачем вам все это надо?
6. Во что вы при том верите и почему?
7. Кто вы там такой?
8. В чем ваше Призвание?
9. Какими предстают перед вами мир и жизнь?

Закончив этот «восходящий» проход, вытяните перед собой руки и попросите Высшие Силы (ВС) дать вам нечто, что позволит вам все это воплотить (одновременно и Знак, и некий ресурс). После чего спиной же совершите «нисходящий» проход, улучшая и обогащая каждый из уровней с помощью того, что вам дали ВС.

Упражнение 14.

Выберите один вполне конкретный аспект того, что вы исследуете и воплощаете (например, для материального положения это может быть: «Зарабатывать от ______ и более»), после чего «распишите» эту конкретику по семи пунктам хорошо сформулированного результата.

Упражнение 15.

Выявленные при этом внутренние ресурсы (средства) опишите в терминах реакций на окружение (контекст), состояний, моделей поведения, убеждений и образов Я из «Мерседеса-SK».

ЧАСТЬ II. ПСИХОТЕРАПИЯ

Послушайте, не существует психотерапии вообще. Психотерапией является только то, что работает

Ю. Гендлин

Когда несколько лет назад я внезапно обреченно понял, что устал и больше не хочу работать как «поточный» психотерапевт (т. е. ежедневно по восемь часов в день принимать всех без исключения), то собрал некоторых из своих многочисленных учеников и создал собственный Центр Практической Психотерапии. С изрядным, однако (и притом), страхом и сомнениями, ибо в себе-то я был вполне уверен, а вот в других… Но дальше все пошло-поехало, и уже через год о моих психотерапевтах стали буквально рассказывать легенды. И это при том, что при всей их талантливости (иногда не бесспорной), они все-таки не могли потянуть на качество работы столь сногсшибательного уровня. Но потянула система — созданный мною (хотя лично я считаю, что, скорее, даденной мне сверху) структурированный комплекс психотехнологий, в котором удалось создать исчерпывающие *алгоритмы решения* всяческих *не решаемых проблем*.

Напомню: я все-таки вышел из НЛП и NLPt, что явственно проглядывается в предлагаемых психотехнологиях. Но сие никак не дает права отнести экзистенциальное нейропрограммирование к просто некоему продвинутому варианту данных дисциплин (что, кстати, с упорством маньяка, но исходя из самых лучших — рыночных — пожеланий, регулярно делает мой издатель). Потому как в ЭНП все эти психотехнологии жестко и строго методологически (чего просто нет в вышеупомянутых дисциплинах) структурированы по двум основаниям

— отнесенности к работе преимущественно с программами или с картами

— направленности на изменение среднего, низшего или высшего бессознательного человека.

Все это можно выразить в виде следующей простой схемы

Рис. 21

Несколько (а на самом деле — ну очень-очень!) схематично и схоластично, процесс работы по этим комплексам психотехнологий (а на самом деле давно уже самостоятельным модальностям психотерапии) можно представить так.

Исходно клиент попадает в наш центр как объект **консультирования**. В ходе которого, по идее, мы должны выяснить, в чем его карты (в частности) и модель мира (в общем) не совпадает с теми картами (в частности) и с той моделью (в общем), по которой живет нелюбезный его сердцу социум, и к которому он никак не может адаптироваться (как утверждал великий Пол Вацлавик, пациенты приходят к нам с таким пониманием мира, которое тем или иным образом причиняет им страдание — иначе они бы не оказались в нашем кабинете).

Однако почти сразу выявляется, что до правильных карт им еще ой как далеко. Потому как их психика просто забита идиотскими программами. Страха. Неуверенности. Бессилия. Тревоги. И прочего — не очень-то приятного.

Если в результате они согласны убрать хотя бы следствие (а не причину) их негативной обусловленности (как бы «плохой кармы»), то поступают в блок **психокоррекции**. Где, с использованием уже небезызвестной вам модели «Мерседес SK», исравляют и трансформируют (в нечто разумное, доброе, вечное) вои, мягко говоря, неудачные состояния, способы поведения, беждения, образы «Я», а также реакцию на контекст (один из ринципов ЭНП гласит: «Все, что существует вокруг тебя и тебя е не устраивает, ты можешь либо поменять — если, конечно, можешь, — либо принять — а вот это точно возможно»).

Однако возможности изменения в рамках общей психокоррекции все же сильно сужены пресловутой *ранней* (детской) обусловленностью. И тогда те, кто хотят еще более расширить диапазон своей приемлемости себе, другим, миру и Богу посредсвом повышения личной эффективности, начинают осуществлять **психотерапию** Самостоятельных Единиц Сознания (СЕС). Пресловутых иерархически построенных программных комплексов. Которые кем-то, где-то и когда-то были запрограммированы на не слишком удачные (сиречь, эффективные) способы реагирования, состояния, формы поведения, убеждения и образы «Я» опять «Мерседес SK, но уже куда как глубже). А те, каковые хотят навсегда избавиться от проклятия обусловленности, идут на **психотерапию личной истории**, позволяющую как бы переписать прошлое (особенно детство). Со всеми его горестями и обидами, глупостями и ошибками...

Встречаются (но очень редко) и клиенты третьего типа. Которые, обычно уже пройдя все вышеописанное, решают не останавливаться на достигнутом — более эффективной и удачной модели *выживания* — а идти дальше. Чтобы все-таки перейти от выживания *к жизни*. Таковые обычно направляются сначала на **дизайн человеческого совершенства**, где овладевают всяческими процессуальными сверхспособностями. А после на **раскрытие Высшего Бессознательного**, где делают первые шаги в картировании и освоении транцедентных эшелонов психики и мира.

Разумеется, все вышеописанное весьма и весьма условно. Потому как уже давно мною разработаны специализированные *модули* решения основных человеческих проблем — как общих, так и частных. В которых обычно вполне даже реализуется библейский принцип «всякой твари по паре» (это я о смешении в них психотехнологий из различных вышеописанных областей).

Основной из этих модулей я очень даже подробно описал в книге «Введение в нейротрансформинг». В связи с чем любые попытки воспроизвести его на страницах данной книги были бы довольно-таки глупы. Тем более, что главная ее задача в, так сказать, психотерапевтическом плане — как раз описание «психотехнологического обеспечения» перехода с одного уровня жизни на другой. Прохода по всем четырем уровням. И здесь нам (вам и мне) повезло. Потому, что этот, казалось бы, невозможный именно в силу простоты вариант подобного *модуля перехода* отыскался сам собой (а сложные, кстати, я бы даже не решился описать). Когда выяснилось, что вышеописанная последовательность обращения клиентов за психотерапией очень даже закономерна. И существует довольно четкая привязка того или иного типа психотерапии к уровню и стадии жизни человека.

Прежде всего обнаружилось, что «выживающие» в основном ориентированы на работу с программами, тогда как «живущие» — с картами.

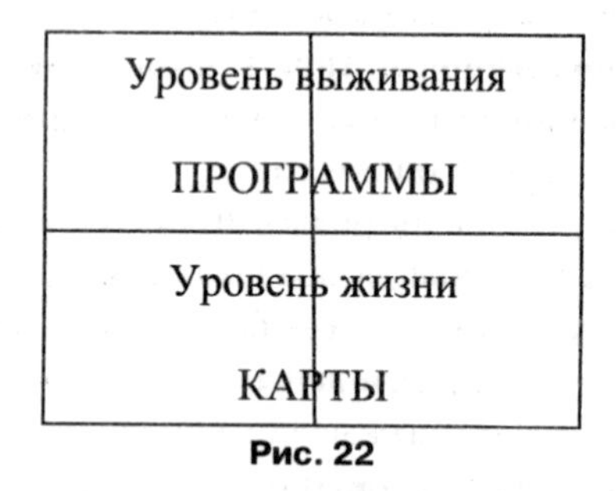

Рис. 22

При этом, однако, «досоциальщики» тяготеют к довольно простым и краткосрочным интервенциям в рамках банальной психокоррекции по модели «Мерседес SK» (где, кстати, они заняты в основном минимизацией экзистенциальных проблем). «Социальщики» куда более ориентированы на максимизацию решений оных за счет работы (в основном) с Самостоятельными Единицами Сознания. «Постсоциалы» проявляют куда больший интерес к психотерапии личной истории (работе с прошлым и будущим), а также к «картировочным» (в смысле работы с расширением и видоизменением карт проблем и решений) коналтинговым моделям. Что же касается «надсоциалов», то их езумно и безудержно привлекает все, что так или иначе связано мистикой и картами Высших Реальностей — бытия и сознания. Что в намеренно упрощенной форме может быть представлено так

ДС Психокоррекция	С Психотерапия СЕС
Раскрытие Высшего Бессознательного НС	Психотерапия личной истории ПС

В общем-то, все это было (или стало) достаточно объяснимо. Если вспомнить, что досоциалы-унитарщики суть пленники догматов Супер-Эго; Социалы-сенсорики — очарованные странники, слепо, но логично реализующие недостижимую Персону. Постсоциалы социальной реальности мучительно ищут потерянный Рай Самости. А надсоциалы-мистики безудержно мечтают об ослепительном свете Сущности…

Однако далее выяснилось, что в основе подобной избирательности лежит еще одно основание: *масштаб* изменений, причем практически по Г. Бейтсону.

Потому что на досоциальном уровне мы, решая проблему, по сути ничего не меняем в собственной жизни — сохраняя в ней все как есть, как в одном-единственном данном нам ящике (обучения уровня 0 по вышеуказанному и очень почитаемому лично мною автору). На уровне социальном — таки что-то меняем, но исключительно как некие внутренние перестановки в том же ящике (обучение уровня 1). На уровне постсоциальном открываем множественность «ящиков»-жизней и даже можем выбрать себе другое прошлое и будущее. А на надсоциальном уровне, создавая альтернативные способы осмысления Реальности (не только ящиков но и того, что (кто) стоит за ними), выходим за пределы привычных категоризаций и действительно приближаемся к Богу как первооснове…

Весьма любопытно, что все вышесказанное вполне созвучно тому, что Л. Досси (По: /21/) назвал *эрами медицины*. Так, по его мнению, эру I можно назвать эрой чисто соматической медицины. Эру II — медицины психосоматической. Эру III — квантовой медицины. И эру IV — медицины теосоматической («тео» и значит Бог...).

ДС Соматическая	С Психосоматическая
Теосоматическая НС	Квантовая ПС

В первом случае (эре) речь идет о классической медицине с ее «если не вылечим, то отрежем». Во втором — о, так сказать, психологическом или, точнее, психологизированном подходе, основанном на идее о господстве разума над организмом. В третьем — о, базирующейся на квантовой физике и трансперсональной психологии, медицине сверхестественных исцелений. Ну а в четвертой — о, в чем-то религиозной, космической медицине, предполагающей, что не существует разделения между Создателем и созданием, и что Создатель всегда придет на помощь своему созданию...

Исходя из вышеизложенного получается, что лично для вас повышение уровня вашей жизни чуть ли не до надсоциально-мистического в общем-то достаточно возможно, причем в рамках не какой-то другой, но данной книги. Однако, не могу не предупредить вас, что повышение это скорее всего будет в чем-то (и чем-то) ограниченным. Потому как требует очень серьезной предварительной вашей оптимизации с помощью комплексов специальных психотехнологий, начиная с так называемого базового модуля (см. «Введение в нейротрансформинг»). Да и вообще — при всей кажущейся простоте, психотехнологии нейротрансформинга не только феноменально эффективны, но еще и очень сложны. И не случайно курс обучения в нашем Институте Инновационных Психотехнологий в сумме составляет более 500 учебных часов и делится как бы на три уровня: Практика, Специалиста и Мастера. Необходимых отнюдь не только лишь профессионалам, поскольку я точно уверен, что человек, не прошедший хотя бы первый из этих курсов просто обречен только лишь на выживание. Ибо не способен ни справиться с собой и своими сложностями, ни себя же изменить...

Тем не менее, существенное повышение уровня вашей жизни вполне даже вероятно. Для чего необходимо (хотя, может быть, и не всегда достаточно), во-первых, освободиться от проблем досоциального уровня: посредством довольно несложной психокоррекции. Во-вторых, осуществить психотерапию уровня социального: за счет работы с Самостоятельными Единицами Сознания. В-третьих, очистить свое прошлое, а также и будущее от всяческих бывших и будущих «бяк»: с помощью психотерапии личной истории. Ну а в-четвертых (если хватит пороху...), приступить к раскрытию мистического и магического потенциала Высшего бессознательного: с использованием специализированных систем и психотехнологий отчасти даже трансперсонального уровня... Так вот, всему этому и будут посвящены следующие главы этой части данной книги...

ГЛАВА 1. НЕОБХОДИМЫЕ УСЛОВИЯ ПЕРЕХОДА

> Для того чтобы плыть, мало попутного ветра. Надо еще и поднять парус...
>
> Сенека

Однажды некая лягушка, прогуливаясь вместе с товарками по сельской дороге, упала в колею. Которая оказалась настолько глубокой, что, несмотря на все ее старания, ни выпрыгнуть, ни выползти из нее никак не удавалось.

В конце концов, другие лягушки, поняв бесполезность и тщетность любых попыток их подруги выбраться из коварной западни, так круто прервавшей ее благополучную лягушечью жизнь, кто со слезами, а кто и только с деланным сочувствием, попрощались с нею. И отправились домой, в любимое болото.

Однако каково же было их изумление, когда через некоторое время их догнала запыхавшаяся лягушка — та самая, которая до самой своей смерти была обречена сидеть в колее.

— Как? — хором заквакали ее товарки. — Как ты смогла выбраться? Ведь это было просто невозможно!.

— Точно, — согласно кивнула выбравшаяся из западни лягушка. — Совершенно невозможно. И я уже собралась распрощаться с жизнью. Но тут появился грузовик...

Достаточным условием любого жизненного изменения (а уж тем более — перехода на более высокий уровень жизни) является психотерапия — и только психотерапия. Которая, однако, может осуществляться не только лишь под руководством психотерапевта (или иного лица, обремененного статусом и знаниями), но и, так сказать, совершенно спонтанно. Когда сама жизнь, как великий учитель, поставит человека перед необходимостью измениться. И спящий проснется, а бессознательное само, легко и непринужденно перестроит его на новый лад.

Чаще всего сие происходит в так называемых экзистенциальных ситуациях — «У смерти на краю» (А. Пушкин) и иже с ними. Однако само по себе случается это все же ну очень редко. Отчего профессия психотерапевта долго еще (а может быть —

ечно?) будет востребована современным обществом. И все в илу существования другого важнейшего условия изменений — еобходимого. Под которым в наиболее общем смысле следует онимать готовность человека к осуществлению желаемого (решению проблемы, достижению цели и т. п.). Та самая готовность, о существовании которой, в общем-то, достаточно хорошо осведомлены современные психотерапевты (иначе они не изобретали бы профессиональные поговорки типа: «Лошадь можно привести на водопой, но вот пить ее ты не заставишь...»). И которую они дружно игнорируют, тратя в результате на излечение неготового клиента безумное (ненужное!!) количество времени. А при всем при том они еще и искренне удивляются скорости исцелений в Восточной версии НЛП и экзистенциональном нейропрограммировании, которую демонстрируют не только я, но абсолютно все, кто всерьез применяют эти методы.

А все здесь не просто, а очень просто. Мы не работаем с неготовыми изменяться клиентами. Точнее, в обязательном порядке создаем у них пресловутое необходимое условие: готовность к изменениям. За счет системы аналогичных нижеописанным психотехнологий, обязательно включающих:

— признание проблемы
— формулирование цели
— анализ сопротивления
— увеличение мотивации и
— создание собственно готовности к достижению цели.

1.1. ПРИНЯТИЕ ПРОБЛЕМЫ

Существуют два вида проблем: надуманные и решаемые

Неизвестный гений

В принципе, на осознанное принятие клиентом проблемного состояния или ситуации как на одно из важнейших условий эффективной психотерапии, обращал внимание еще З. Фрейд. Который ввел в обиход психоанализа принцип конфронтации с проблемой, реализуемой в данном направлении психотерапевтической науки порой весьма жесткими способами.

Однако собственно психологические причины, по которы клиента изменения необходимо действительно конфронтироват с проблемой, были раскрыты в так называемой теории пассивнос ти школы Шиффов (По: /24/). Согласно которой любой человек на поверхностном уровне якобы желающий что-то изменить, а н глубинном — внутреннем — на самом деле — отнюдь к этому н стремящийся (а, наоборот, избегающий всего, что может помочь) демонстрирует один из четырех видов поведения

- ничегонеделание
- сверхадаптацию
- ажитацию (возбуждение)
- насилие[1] и
- беспомощность.

В случае *ничегонеделания* вся энергия направляется на тор можение ответной на некий вопрос, просьбу или предложени реакции. В основе — детские проблемы, нежелание взрослеть А как следствие — полный отказ от взаимодействия (как будто ты говоришь со стеной или с чучелом). Единственным выходом здесь является элементарная твердость: «Я буду продолжать, пока ты либо не ответишь мне, либо открыто откажешься отвечать»

При *сверхадаптации* (ну очень трудно диагностируемой и кстати, весьма одобряемой и поощряемой обществом) человек старается *не достичь* собственных целей тем, что весьма энер гично достигает цели окружения («От меня другие ждут не этого а того!»). Но, живя для других, он делает все, чтобы не жить для себя, отчего все желания измениться к лучшему просто тонут в хаосе ложных целей…

Ажитация (возбуждение) предстает перед нами повторяю щейся (и затягивающей) нецелесообразной деятельностью или активностью. Когда вместо того, чтобы делать нечто полезное, люди просто делают что-то не слишком целесообразное, в об щем-то, нравящееся им или их устраивающее. Так что, глядя на возбуждение толпы болельщиков на стадионах или поклонников неких «звезд» в концертных залах (а также созерцая истовые увлеченности бог весть чем малополезным и отвлекающим от

[1] Я отделил беспомощность от насилия, хотя в школе Шиффов они рассматриваются через «или»…

кизни), я иногда думаю, что именно этот способ проявления іассивности наиболее принят человечеством...

Когда в результате этой самой пассивности человек накапливает достаточно много энергии, и ее надобно куда-то высвободить, возникает *насилие.* Агрессивные действия, направленные, по сути, против кого угодно (и чего угодно), выбранного на роль «козла отпущения». И, судя по количеству дорожных войн, семейных разборок, девичьих (!) драк и прочего, что мы наблюдаем ежедневно и ежечасно, это вторая по популярности форма проявления пассивности.

Есть, однако, и еще одна — третья по все той же популярности. Это *беспомощность*, пышным цветом расцветшая на полях нашей необъятной родины (когда, например, для того, чтобы ввернуть лампочку в подъезде, обращаются лично к Президенту). Что здесь печально, так это то, что это тоже форма насилия. Но обращенная не вовне, а внутрь. То есть если вы не можете изнасиловать кого-то из вашего ближнего или дальнего окружения, вы будете регулярно насиловать себя и только себя. Вплоть до крайностей: когда в ответ на невозможность избавить мир от чего-то, доставшего вас и опостылевшего, вы избавите мир от самого себя — вас же доставшего и вам же опостылевшего...

Какой здесь возможен выход? Ну, поскольку вы работаете самостоятельно, а не с психотерапевтом, который своими невинными (на первый взгляд) вопросами подталкивает вас к принятию проблемы (признанию факта ее существования), то, в общем-то, только один. Действительно прийти к выводу, что вы застряли и остановились. На каком-то не слишком устраивающем вас уровне. В целом или по отдельным областям своей жизнедеятельности (здоровье, взаимоотношения, любовь/секс, работа, деньги). Что довольно легко можно сделать. Всего-навсего оценив уровень вашего *субъективного* (т. е. того, насколько это вас устраивает) благополучия своей экзистенции по представляющей его звезде.

Начнем мы «танцевать», ну конечно же, «от печки». В данном случае таковой выступит оценка наличиствующего благополучия. Для этого вам не нужны специальные тесты (хотя таковые, кстати, существуют — но уж больно громоздкие и неточные).

Достаточно просто воспользоваться десятибалльной шкалой, которой десять баллов будет соответствовать максимуму **ощущения благополучия** (именно так, ощущения, ибо, как говарива академик Лихачев, бедный не тот, у кого мало, а тот кому мало…) а ноль — его (опять-таки ощущения) минимуму. То есть честн спросите себя: насколько я в целом благополучен по этой само десятибалльной системе (см. рис. 25)?

Абсолютные благополучники (принцы)	10
Полные благополучники	9
Слабые (хрупкие) благополучники	8
Крепкие середняки (почти благополучники)	7
Полные середняки (покрайнемерщики)	6
Слабые середняки (коекакеры)	5
Малоблагополучники	4
Неблагополучники	3
Лягушки	0-2

Рис. 23. Схема уровней благополучия

Что, шесть баллов? Ну тогда можете поздравить себя с принадлежностью к славному племени покрайнемерщиков.

Не огорчайтесь — таковых большинство (т. е. вы все-таки «как все», что успокаивает). Вот только принадлежать к этому большинству хотеться не должно. Потому как, право же, не стоит всю свою сознательную жизнь пребывать в этакой усредненности Что ж, дабы определить пути выхода из всего этого, пожалуйста осуществите частную (и честную!) самооценку по все той же десятибалльной системе ощущение своего благополучия по поводу

- ***здоровья***, причем как в целом так и по-отдельности
  - ***физического***
  - ***психологического*** и
  - ***духовного*** (душевного)
- ***взаимоотношений***
- ***любви/секса*** (можно тоже по-отдельности)
- ***работы*** и
- ***денег***.

Предположим, что вы получили следующие значения (для наглядности отображаю их на «звезде благополучия».

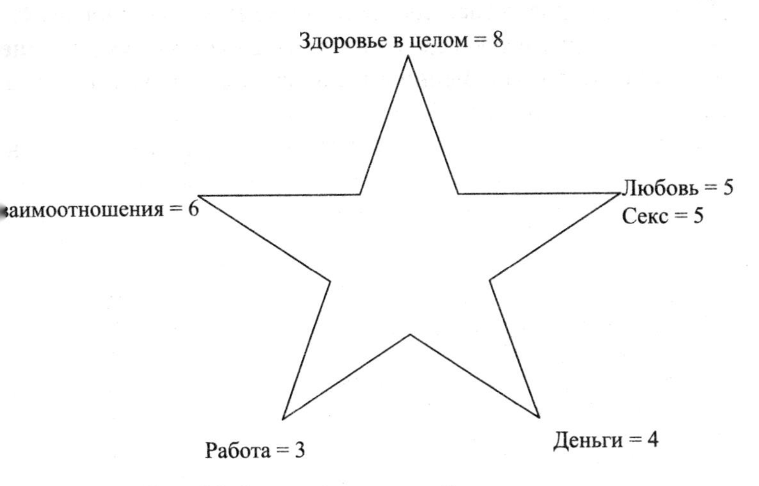

Рис. 24. Оценка исходного благополучия

Казалось бы, все ясно: начинать изменения нужно с работы и денег, после чего плавно переходить к любви и сексу. В принципе, можно и так, но если вы хотите сделать более точные выводы, оцените, насколько каждая из этих областей для вас важна. То же по десятибалльной системе, но чур, десять баллов всем и всему не ставить! Предположим, что получилось следующее

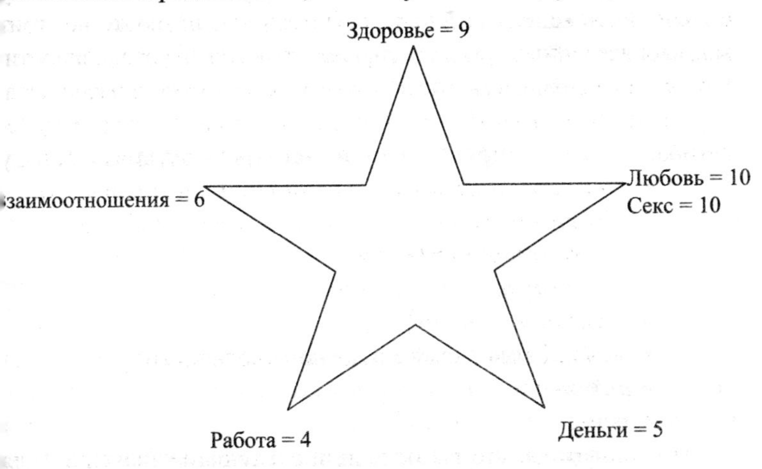

Рис. 25. Важность сфер благополучия

А что, бывает и так — когда любовь дороже хлеба. Но тогд получается, что после оценки разницы «важно — имею» ваша так сказать, итоговая звезда благополучия выглядит так.

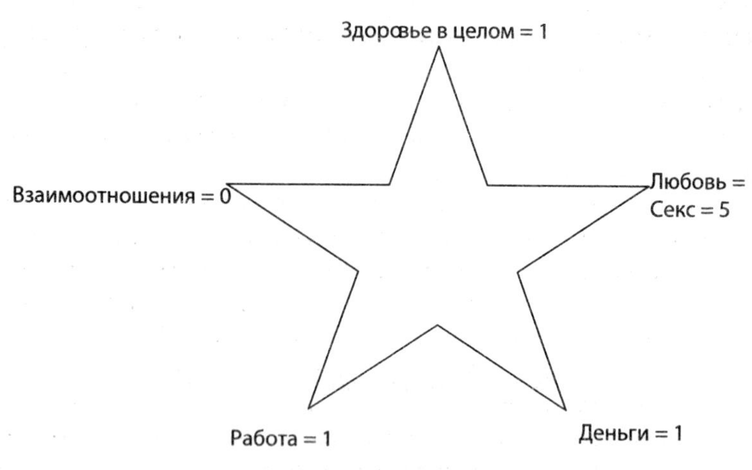

Рис. 26. Итоговая оценка «важно — имею»

И, значит, заниматься вам нужно именно прежде всего такими неотъемлимо важными элементами благополучия, как любовь и секс. Для чего опять-таки надо будет всерьез заняться не примитивным пикапом (каковым увлекаются либо самоутверждающиеся неудачники, либо всерьез больные спермотоксикозом), а психотерапией. Смею вас заверить: поможет, да и еще как...

1.2. ФОРМУЛИРОВАНИЕ ЦЕЛИ

> Проблема перестает быть проблемой, когда решаешь, что делать
>
> Ф. Фан

Уж позвольте мне здесь не повторяться — в плане назидания прописных истин НЛП, Восточной его версии, NLPt, экзистенциального нейропрограммирования и иже с ними. Объясняя вам, что, согласно закону воплощения, реализуется в жизни то (и только то), что находится в вашей голове. Так что, если там плотно засела проблема, от которой вы вроде бы пытаетесь уйти, именно эта проблема и воплотится в вашей жизни (и вы точно, как любил говаривать один мой высокообразованный знакомый, «не промахнетесь мордой в грязь»). А вот ежели в вашей голове все-таки бродит решение, есть все основания считать, что именно она и проявится в вашей жизнедеятельности (причем ровно настолько, насколько проявилась в, так сказать, мозгах).

По сути, я уже писал о том, как воплотить, чтобы воплотилось. Причем не где-то, а в этой книге. В главе о моделях, где, по сути, представил всю цепочку воплощения, так сказать, замысла.

Цикл бытия
↓
Русская матрешка SK
↓
Нейрологические уровни
↓
Хорошо сформулированный результат
↓
Мерседес SK

Именно так — разумеется, с различной степенью дробности — мы и работаем с клиентом. Предварительно (однако) добиваясь ну очень четкого понимания того, где он в целом застрял и куда ему надобно выбираться. При самостоятельной работе сделать это не так уж и легко. Отчего прямо здесь я предлагаю вам создать еще более хорошо сформулированный результат, который подробно опишет, что именно вы хотите иметь вместо проблемы (в психотерапии это называется запрос). Здесь сразу же сообщу, что любой результат, чтобы быть достигнутым, должен /26/

- быть позитивно сформулированным в терминах того, что вы хотите
- описываться сенсорным языком
- поддерживаться и контролироваться человеком, который хочет его достичь
- соответствовать контексту
- учитывать соответствующую вторичную выгоду

- включать необходимые ресурсы и
- быть экологичным для целой системы.

Все эти не очень вразумительные формулировки могут быть раскрыты в следующей таблице:

Признак	Вопросы
1. Позитивная формулировка результата	1. Что именно вы хотите? 2. Что это вам даст? 3. Позитивно ли все это сформулировано? 4. Видите ли вы себя, обладающим результатом? 5. Как вы узнаете, что достигли желаемого?
2. Описание результата сенсорным языком	6. Что вы будете видеть, когда достигнете этого? 7. Что вы будете слышать? 8. Что — чувствовать? 9. И, наконец, что — думать?
3. Инициированность и контролируемость результата человеком, который хочет его достичь	10. Контролируете ли вы в достаточной степени свой результат? 11. Связано ли достижение этого результата с кем-нибудь еще? Если да, то с кем конкретно? 12. Можете ли вы инициировать и / или поддерживать (у себя, других и мира) реакции отношения и действия, необходимые для достижения результата?
4. Соответствие результата контексту	13. В каких условиях и обстоятельствах достижение желаемого вами может быть неуместным и/или бесполезным? 14. Где, когда и как вы хотите получить свой результат? 15. Хотите ли вы обладать этим все время во всех контекстах и без всяких ограничений?
5. Учет вторичной выгоды	16. Что вы потеряете, когда достигнете желаемого? 17. Когда, где и с кем отсутствие результата воспринимается, как нормальное и даже желаемое? 18. Откажетесь ли вы (придется ли) от чего-то важного ради достижения вашего результата?
6. Включение необходимых ресурсов	19. Что вы уже имеете, и что еще вам требуется для достижения желаемого? 20. Имели ли, делали ли или достигали ли вы чего-то подобного ранее? 21. Знаете ли вы кого-нибудь, кто имел, делал или достиг этого ранее? Если да, то как он (она) это делали (сделали) ?
7. Экологичность результата для целой системы	22. Что случится, если вы сделаете и/или достигнете желаемого? 23. Что случится, если вы НЕ сделаете и/или достигнете желаемого? 24. Что НЕ случится, если вы сделаете и/или достигнете желаемого? 25. Что НЕ случится, если вы НЕ сделаете и/или достигнете желаемого?

Ждете разъясняющего примера? Ну-ну, ждите. Потому как я ıe собираюсь (да даже и не собирался) еще этак на десяти страни-цах расписывать какой-либо аспект вашей будущей экзистенции ıи в одной из ее областей: *здоровья, взаимоотношений, любви/ екса, работы и денег.* Ничего-ничего — сделаете все это сами. Тем более что вопросы эти обладают такой буквально проясня-ощей силой, что надо быть просто идиотом, чтобы не составить : их помощью желаемый результат. Которого вы, конечно же, достигнете — но только в том случае, если еще и разберетесь со своим сопротивлением. Явно или неявно всегда стоящим за вашей былой пассивностью, а теперь, в период припадка вашей активности, могущим проявиться до уровня небезызвестного камня преткновения…

1.3. АНАЛИЗ СОПРОТИВЛЕНИЯ

> Проблемы важнее решения. Решения могут устареть, а проблемы остаются
>
> Нильс Бор

В принципе, не только психологи в лице школы Шиффов, гл и психотерапевты (во многих лицах) приложили руку к анализу феномена нерешения актуальных проблем, создав так называемую теорию (теории!) сопротивления. Из которых лич-но мне нравится довольно таки логичная, а, главное, ну очень «нейропрограммирующая» модель А. Радченко. Согласно этой модели, человек не решает проблемы и не достигает целей в силу следующих семи причин.

1. Вторичной выгоды от проблемы, причем чаще всего вследствие наличия Самостоятельной Единицы сознания, кото-рую не устраивает решение проблемы (например, вас ленивого) и ответственную за это СЕС.

2. Одновременное присутствие двух конфликтующих между собой Самостоятельных Единиц Сознания (например, одна СЕС хочет любви и секса, а другая считает это неинтеллигентным и безнравственным).

3. Присутствие некоего психотравматического опыта (на-пример, в детстве, когда вы потеряли десять драгоценных тогда

рублей, вам подробно и ну очень доходчиво объяснили, что вы и деньги — вещи несовместные, отчего теперь вы их просто боитесь взять в руки и бегаете от них, как черт от ладана).

4. Программирование значимых других (например, ваша мама так часто повторяла «Если после сорока лет у тебя ничего не болит, ты уже покойник», что сразу после наступления этой даты у вас заболело все, что было возможно, и буде вам уже за сорок, излечиваться не собирается).

5. Убеждение других и самоубеждение (например, мужчины, регулярно слушающие, что после некоего возраста — раньше пятьдесят, а теперь, по-моему, даже сорок — у каждого второго возникает некая бяка, явственно рискуют эту бяку воспроизвести, а после остаться нездоровым).

6. Самоидентификация с эталоном (например, если вашим кумиром является лорд Байрон, вы не только будете пописывать стишки, но и, к вящему удивлению вас и знакомых, будете демонстрировать полную и неисправимую нетерпимость во взаимоотношениях).

7. Самонаказание (например, вы так и не позволите себе счастливый брак и семью, потому что у мамы он не получился, а вот чувство вины за то, что вы при сем присутствовали, она вам внушить успела…).

Однако этими причинами уклонения от решений вы будете заниматься позднее — во время психотерапии социального (работа с Самостоятельными Единицами Сознания) и постсоциального (психотерапия личной истории) уровней. Пока же я прошу вас (а точнее — настоятельно рекомендую, т. е. попросту требую), чтобы вы, взявши за основу свою цель (желаемый результат), ответили на следующие весьма даже хитрые вопросы /8/.

Если я получу то, чего хочу, то ______________________

____

(*Что вы можете потерять или что может пойти не так, если вы получите то, чего хотите?*)

Получить то, чего я хочу, будет означать для меня ___________

____

(*Что плохого для вас или других людей в том, что вы получите то, чего хотите?*)

Из-за того, что ______________________________________
___________________________________ все остается по-прежнему.

(*Что мешает ситуации измениться?*)

Если я получу то, чего хочу, то ___________________________
____

(*Какие проблемы может вызвать то, что вы добьетесь того, чего хотите?*)

Ситуация никогда не изменится, потому что _______________
____

(*Какие ограничения или препятствия удерживают ситуацию в нынешнем состоянии?*)

Я не могу получить то, чего хочу, потому что ______________
____

(*Что мешает вам получить то, чего вы хотите?*)

Невозможно получить то, чего я хочу, потому что __________
____

(*Что делает для вас невозможным получить то, чего вы хотите?*)

Я не способен получить то, чего хочу, поскольку __________
____

(*Какой личностный недостаток мешает вам получить желаемый результат?*)

Лучше уже не будет, потому что ___________________________
____

(*Что будет всегда мешать вам добиться успеха?*)

Ну и как вам то, что получилось? Пробирает ну прямо до дрожи? И как-то даже становится непонятно, как вы вообще чего-то добились? В общем-то так оно и есть — причем, у каждого из нас. Но — успокойтесь. Потому, что, во-первых, довольно большая часть сопротивления может быть устранена безо всяких специальных техник. Во-вторых, то, что при этом останется, может запросто как бы «слинять» после работы с мотивацией и готовностью. Ну, а в-третьих, часть сопротивления, которая все-таки некуда не уйдет, а очень даже упрямо останется, вы просто проработаете — с помощью описанных далее психотехнологий…

1.4. УВЕЛИЧЕНИЕ МОТИВАЦИИ

Хотеть — значит мочь

Французская поговорка

Знаете, несмотря на колоссальное количество работ по мотивации, выполненных в русле классической психологии, чисто практическая их ценность оказалась не слишком высока. Отчего в, так сказать, прикладном мотивировании используются подходы, выполненные в весьма далеком от классической потребностно-мотивационной парадигмы ключе.

В то же время «классическое» нейропрограммирование (прежде всего НЛП и преобразующий процессинг) создало ряд несомненно удачных концепций, которые вполне могут быть использованы для «психотерапевтического мотивирования». Во-первых, это идея о двух видах мотивации: *К* и *От*. Согласно которой только ограниченное число людей побуждаются чем-то желаемым («морковкой»). А вот поскольку для подавляющего большинства куда лучшим побудителем являются нежелательные последствия («страшилки»), которые могут наступить в результате некоего недеяния.

Во-вторых, это представление о, как минимум, четырехмерности человеческой мотивации, хорошо репрезентируемом знаменитым логическим квадратом Р. Декарта

А и Б	А и не Б
не А и Б	не А и не Б

Поскольку скорее всего у большинства читателей от вышеприведенной теоретической нудятины уже слегка поехала «крыша», поясню, что в итоге мы смогли получить ну очень симпатичную, а, главное, хорошо работающую модель психотерапевтического мотивирования, включающую

- желаемые последствия от изменения (К-мотивация)
- нежелательные последствия вследствие отказа от изменения (мотивация От)
- вторичные выгоды, которые могут привести к отказу от изменения и
- некая общая сумма потерь в экзистенции в случае отказа от изменений.

Что в случае с все тем же логическим квадратом Р. Декарта изображается следующим образом:

Что случится, если изменение произойдет? (+ «морковки») 1	2 Что случится, если изменение НЕ произойдет? («страшилки»)
3 Что НЕ случится, если изменение произойдет? («вторичные выгоды»)	4 Что НЕ случится, если изменение НЕ произойдет? (— «морковки»)

Так что, мотивации для, в данной психотехнологии вы должны весьма обстоятельно (хотя и не обязательно долго и нудно) и довольно пространно (не меньше трех положений в каждом пункте — клеточке) ответить на все эти вопросы. Например, для ранее описанного случая женщины, стремящейся замуж (я намеренно ограничусь только одним положением), предположим, что в ответ на вопрос «Что случится, если это произойдет?» она написала «Стану счастливой». В ответ на вопрос: «Что случится, если это Не произойдет?» — «Окончательно погибну как женщина». В ответ на вопрос «Что НЕ случится, если это произойдет?» — «Утрачу возможности приятного одиночества и уединения». А в ответ на вопрос: «Что НЕ случится, если это НЕ произойдет?» — «Жизнь, как таковая, с ее женскими радостями».

В результате (для данного случая) можно уже сформулировать «мотивацию», включив в нее все обнаружившиеся, и даже привычно останавливающие нас вторичные выгоды (ВВ — это когда мы не получаем первичной выгоды именно потому, что есть выгода вторичная; например, не очень-то стремимся замуж, потому что боимся утратить приятное одиночество и уединение).

Я стану счастливой, буду жить, как живая женщина;

Сохраню возможности для приятного уединения и одиночества

И обрету жизнь, как таковую с ее женскими радостями.

Как вы, наверное, поняли, я здесь все «минусы» трансформировал в резонно вытекающие из них «плюсы»...

1.5. СОЗДАНИЕ ГОТОВНОСТИ К ДОСТИЖЕНИЮ ЦЕЛИ

Принципы всегда осуществляются медленно, но люди всегда торопятся

О. Бальзак

Эту самую в общем-то бессознательную готовность к достижению цели я в какой-то момент создания Восточной версии НЛП связал с копингом и копинг-поведением. По сути, это было целиком и полностью правильно, ибо речь шла о создании той самой готовности, которая как бы превышает уровень проблемности ситуации и позволяет ее разрешить («to cope» по-английски как раз и значит «справляться», «разрешать»). Но чисто формально оказалось не совсем точно. Так как в классической психологии данное понятие объединяет когнитивные, эмоциональные и поведенческие стратегии, которые используются, чтобы справиться с *обыденной жизнью* (ранее хоть упоминался еще и стресс...). А в отечественной психологической школе его вообще окрестили *переживанием* — пусть даже и критических ситуаций. Однако переживание не есть преодоление...

В связи с этим я как бы снимаю «копинговую отнесенность» ниже предлагаемых психотехнологий, сохраняя в неизменности только главное: то, что *все они направлены на создание бессознательной в сути готовности к преодолению чего-то, что ранее казалось непреодолимым, и достижению того, что доселе воспринималось как недостижимое...*

Нижеприведенная, ныне ставшая почти классической, психотехнология (не просто активно, но еще и *обязательно* применяемая в экзистенциальном нейропрограммировании для решения любых задач экзистенции, предполагает сначала определение, а потом увеличение до необходимых значений уровня готовности человека к достижению любой (т. е. не только благополучия) цели или результата. Основой для нее явилось эмпирически (и более того — практически) выявленный мною (и не только мною) факт, по которому человек способен достичь любых (подчеркнем, любых, пусть даже самых головоломных) целей в случае, если его бессознательное (именно так, бессознательное, а не сознание, т. е. как бы де фактум, а не де юре) считает (точнее — знает), что данная цель или результат

- действительно желанна
- стоит того, чтобы быть достигнутой
- достижима
- достигается нормальным и естественным образом
- улучшает, а не осложняет жизнь человека
- соответствует уровню его способностей
- является им заслуженной

Во всех случаях невыполнения этих условий (пусть даже и одного) достижение желаемого блокируется.

Алгоритм выполнения *психотехнологии создания бессознательной готовности к достижению* цели следующий:

1. *Предложите себе одним предложением записать формулировку его желаемого результата (цели)*
2. *Теперь с закрытыми или открытыми глазами попредставляйте эту цель в виде образов и картинок, обязательно видя себя в этих самых образах и картинках и держа глаза под углом примерно 15–20° над горизонталью (у меня нет времени на объяснение того, почему так надо делать, поэтому просто примите сие как данность).*
3. *Начертите на листе линию нижеприведенного вида (см. рис. 29) и усвойте, что данная линия есть шкала вашего внутреннего согласия с некоторыми суждениями относительно желаемого результата (цели), причем 5 соответствует 100 % согласию, 4–75 %, 3–50 %, 2–25 %, и 1–0 %.*

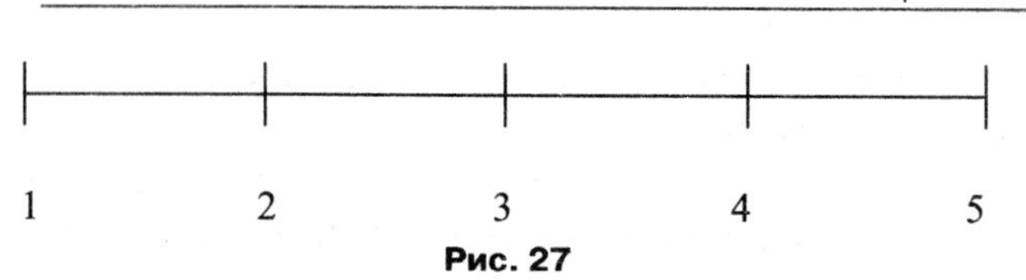

Рис. 27

4. *Возьмите лист со шкалой и формулировкой результата (цели), положить руку так, чтобы кисть была свободной, и как бы передоверив ответ собственной руке (т. е. ставя отметку там, где хочется, бессознательно, а не осознано) оцените степень своего согласия со следующими семью суждениями:*
   А. Эта цель желанна
   Б. Эта цель стоит того, чтобы ее достигать
   В. Эта цель достижима
   Г. То, что мне надо будет делать и сделать, чтобы достичь этой цели, будет нормально и естественно
   Д. То, как я буду жить, когда достигну этой цели, будет нормально, естественно и просто легко и приятно
   Е. У меня есть все необходимые способности, чтобы достичь этой цели
   Ж. Я заслуживаю достижения этой цели.
5. *Теперь отберите все оценки ниже 4 баллов (критическое значение: 80 % готовность к достижению), выберите из них наименьшую и на чистом листе выпишите формулировку этого суждения вместе с кратким описанием цели, например:*

Эта цель — стать и быть человеком, получающим от 4000$ в месяц — ДОСТИЖИМА.

6. *Поставьте напротив себя кресло или стул и представьте:*
   - *за креслом (слева или справа) — своих Внутренних Оппонентов, т. е. людей, которым вы хотели бы похвастаться или первоочередно сообщить, что, дескать, несмотря на все ваше недоверие и даже могущество я все-таки достиг и добился (не удивляйтесь, если там обнаружится мать, отец и даже некоторые другие родственники и друзья)*
   - *за креслом (справа или слева) — свою группу поддержки в виде подлинных друзей или даже сектора стадиона,*

полного людей с лозунгами «Имярек — чемпион!» и аналогичными

- *в кресле — свою скептическую часть, считающую цель малодостижимой (в любом образе, хотя обычно там представляетесь вы сами и в весьма скептичной позе)*

7. *Теперь убедите всех этих «гостей» в истинности выбранного для работы суждения, повторяя ее вслух (гордо и уверенно), а после предъявления вами «связки» — как бы «вопроса из зала» — еще и рационально аргументируя это самое суждение. Используйте следующие «связки»:*

   потому что ______________________________
   поскольку ______________________________
   и я достигну ее до того, как ______________________________
   и я начну ее достигать после того, как ______________________________
   хотя и ______________________________
   если ______________________________
   пока ______________________________
   так же, как и ______________________________
   в любое время ______________________________
   так что ______________________________

8. *Создавая рациональную аргументацию, основывайтесь на том, что при использовании «связки» «потому что __________» вы должны сказать «нет» прошлому, перечислив все, от чего уходите. «Связки» «поскольку __________» — сказать «да» будущему, рассказав о том, к чему собираетесь прийти. «Связки» «и я достигну ее до того, как наступит __________» — бессознательно определить срок достижения цели. «Связки» «и я начну ее достигать после того, как __________» — наметить время «старта». «Связок» «хотя и __________», «если __________» и «пока __________» — выявить и переработать все внутренние сомнения и сопротивления. «Связки» «так же как и __________» — привести пример чего-то сложного, чего вы, тем не менее, достигли. «Связки» «в любое время __________» — исключить ограничения по времени дня, времени года и периода своей жизни. Ну а «связка» «так что __________» суть тестовая, поскольку,*

если после ее предъявления вы в течение не более минуты не выразите свой энтузиазм по поводу достижения цели, работу придется повторять.

9. *Используя все ту же шкалу (но нарисованную уже на другом, чистом, листе), проверьте свою готовность: по ее компоненту, с которым вы работали и по всем остальным (значений всех компонентов готовности должны заметно увеличиться).*

Продолжайте работу до тех пор, пока не продемонстрируете как минимум 4-х балльную готовность по всем этим компонентам.

Упражнение 16.

Попробуйте честно и непредвзято оценить реальные проблемы своей экзистенции, причем прежде всего признав то, что они у вас все-таки есть.

Упражнение 17.

Сформулируйте в связи с этим желаемую вами цель или цели.

Упражнение 18.

Проанализируйте и хоть как-то проработайте свое сопротивление изменениям по направлению к желаемому.

Упражнение 19.

Поработайте со своей мотивацией, дабы она достигла по крайней мере необходимого уровня.

Упражнение 20.

Создайте устойчивую готовность к достижению.

ГЛАВА 2. ПСИХОКОРРЕКЦИЯ ПРОБЛЕМ ДОСОЦИАЛЬНОГО УРОВНЯ

Поблагодарим мудрую природу за то, что все нужное она сделала простым, а все сложное — ненужным

Эпикур

Однажды к некоему мудрецу пришел человек и с порога, даже не здороваясь, потребовал чтобы его срочно сделали мудрым.

— Это не так уж и сложно — ответил мудрец — Выйди на улицу и постой там до тех пор, пока тебе не придет в голову какое-то озарение...

Примерно через полчаса, мокрый как хлющ (или кто там действительно мокрый) человек вернулся в дом и мрачно сказал:

— Единственное, что я понял — так это то, что я дурак...

— Могу тебя с этим только поздравить — ответил ему мудрец — Ты на правильной дороге! Потому что для очень многих способность понять, что они глупцы, есть начало мудрости...

Данный раздел этой книги по объему заметно превышает последующие. И это не случайно, а, наоборот, закономерно. Потому что речь в нем идет о психотехнологиях досоциального уровня, а именно на нем сейчас и находится большинство жителей современной России. Уж позвольте мне не доказывать сие положение весьма печальной статистикой, вполне вписывающейся в известную формулировку «Есть ли жизнь за МКАДом?». Потому что Москва, Санкт-Петербург и прочие крупные города — это далеко не вся наша огромная страна, живущая совсем не так, как это демонстрируется в бесчисленных телесериалах, обязательно проходящих на фоне роскошных интерьеров. Да и в этих внешне благополучных городах — центрах, за фасадом внешнего благополучия ну очень легко найти кулисы, если и не откровенно нищенского, то уж во всяком случае не безбедного существования. Но в том то и дело, что нищета, как и разруха, прежде всего живет в человеческих головах. До сих пор забитых идиотскими правилами и глупыми принципами, которые превращают океан возможностей в лужу неблагополучия. И именно содержание этих голов нужно менять в первую, предшествующую даже экономическому росту и социальным программам, очередь. Ибо, как метко заметил один мудрый ученый, никто и никогда не обретет вовне больше свободы, чем имеет ее внутри (еще одна редакция уже известного вам закона воплощения) …

Чисто методологически, психотехнологии изложенные ниже, основаны на уже известной вам модели «Мерседес-SK». Предполагающей, в данном случае, что существенное повышение витальности, вполне даже достаточное для завершения досоциального уровня и перехода на уровнь социальный, возможно в случае устранения пяти основных проблем, сужающих осознание и отнимающих энергию. Неэкологичных реакций на окружение. Неприятных и болезненных состояний. Глупого и заведомо неэкологичного поведения. Ограничивающих жизнь убеждений. И никуда не годящихся Образов Самого Себя…

2.1. УСТРАНЕНИЕ ПРОБЛЕМ В ОКРУЖЕНИИ

Нас огорчают не вещи, а наше отношение к ним

Эпиктет

Начнем мы с окружения. Точнее — с неэкологичных реакций на него.

Работа это сведется к трем весьма простым, но потрясающе интересным психотехнологиям, позволяющим сделать следующее. Во-первых, как бы депроблематизировать условия и обстоятельства своей жизнедеятельности. Во-вторых, убрать из собственного окружения все неприятное и навязчивое. А в-третьих, наконец-то избавить вас от всяческих фобий, заметно ограничивающих возможности вашей жизни (типа страха перед полетами и иже с ними).

Для того чтобы осуществить все это, вам достаточно понять не столь уж и многое.

Первое — так это то, что и проблемы, и неприятности, и фобии есть нечто, не столько экзистенциальное, сколько просто то, что наша нейросеть не смогла вовремя *пережевать*, *проглотить* и *переварить*. Да-да, именно так. Ибо все, что с нами происходит, наша психика должна переработать — за счет этакого чисто психологического же пережевывания, проглатывания и переваривания. Но если «кусок» оказался слишком большим и/или тяжелым (для «рта», «глотки» и/или «желудка»), он может намертво (и очень надолго) застрять в «психологической пищевой цепочке», не давая жить, а иногда и просто дышать…

Второе — что превращение чего-то в либо проблемное, либо неприятно-навязчивое, либо даже фобическое определяется стадией, на которой осуществлялось «застревание». То есть пусть и немного условно, но проблемным является все то, что осталось только лишь переварить (не случайно же люди по поводу собственных проблем с каким-нибудь человеком говорят: «Я не перевариваю этого типа»). Неприятностью-навязчивостью — то, что нужно перед перевариванием еще и проглотить («проглотить обиду» — из этого разряда). А фобии (устойчивые страхи) — то, что надобно сначала пережевать, потом проглотить и только после этого переварить.

Третье — что хотя и проблема, и неприятность, и страх суть крайне неприятные *ощущения*, в этом преимущественно визуальном (а как же: кино, телевидение, Интернет и прочее) мире кодируются они именно неким *визуальным* образом (не зря же мы по поводу всего неудобоваримого — «пищевой», кстати, термин — говорим: «Я не хочу это видеть», «Я даже не могу вспоминать эту картину» или даже «Мне просто страшно это себе представить». В виде отдельного образа (на жаргоне нейропрограммистов — «картинка»). Нескольких образов («фотороман»). Или некоего «фильма ужасов», который ну совсем не хочется заново смотреть. Вот с этим-то визуальным рядом нам и предстоит работать.

Как именно? Да, в общем-то, довольно просто. В случае с чем-то проблемным и нуждающимся только в переваривании мы как бы поможем «желудку» нейросети чем-то, ускоряющим означенный процесс. В ситуации с неприятным и навязчивым — как бы прошибем это, «застрявшее» в «психическом горле». И, наконец, в случае фобии организуем целостный (и достаточно приятный) процесс ее переработки по цепочке «пережевывание» → «проглатывание» → «переваривание».

2.1.1. Депроблематизация контекста

Первая из *психотехнологий*, которую я рекомендую для работы со своими проблемами, называется *«использование панорамного видения»*. Делается она так.

1. *Сформулируйте свою проблему (например, «Я не понимаю Петрова, и это меня раздражает»).*
2. *Оцените уровень ее неприятности лично для вас (10 – максимум, 0 – минимум). В данном воображаемом примере, скажем, 7.*
3. *Представьте (вообразите) «картинку» или «фильм» этой проблемы и оцените ее размеры (например, «проблемный» Петров предстал перед вами в виде «картинки» размером примерно 20х20 см).*
4. *Теперь уберите «картинку» или «фильм» (куда хотите) и сначала вытяните руки перед собой (обе), а потом, продолжая смотреть туда, где они только что были, начните разводить собственные конечности в стороны до тех пор, пока сможете еще видеть их как бы краешками своих глаз (периферийным зрением).*
5. *Наконец, сохраняя этакое панорамное – чуть ли не под 180° — видение, верните в центр (перед собой) «картинку» или «фильм» проблемы.*
6. *Дайте совершиться всем изменениям, которые после этого произойдут с образом проблемы (каковой, кстати, может и вовсе исчезнуть).*
7. *Теперь «перезагрузитесь», т.е. переключите внимание на что угодно (просто посмотрите куда хотите), а потом оцените, насколько вас* ***теперь*** *беспокоит исходная проблема. Если не более чем на 3-4, прекращайте работу. Если все еще на 5 и более, «увидьте» новую «картинку» или «фильм» проблемы (а она обязательно будет новой и/или другой) и заново проделайте пункты 4-7.*

Что, это прямо как чудо? Да ладно вам – на самом деле, рядовое нейропрограммирование (точнее – перепрограммирование), основывающееся на том, что «непереваренные» «картинки» или «фильмы» бессознательное кодирует в так называемом *туннельном* видении (очень похожем на гипнотическое, отчего и говорят:

«Гипноз проблемы»), а переваренные – в *панорамном* (каковое вы и вызвали, так сказать, волюнтаристски).

Теперь вторая депроблематизующая *психотехнология – ресурсирования «картинки» проблемы*. Логика здесь ясна и понятно: чтобы справиться с проблемой, вам чего-то не хватило: уверенности, спокойствия, мудрости – и прочего, что мы обозвали «ресурсом». Так давайте дадим его Здесь и Сейчас.

1. *Увидьте перед собой (просто представьте) «картинку» или «фильм» проблемы (далее мы это будем называть просто «образ проблемы») и оцените, насколько она (проблема) вас «достала» или неприятна вам, по знакомой шкале (максимум = 10, минимум = 0).*
2. *Глядя на образ проблемы или как бы отворачиваясь от него, решите, какой такой ресурс необходим вам для того, чтобы проблемное перестало быть таковым.*
3. *Определившись с ресурсом, подумайте о том, какой именно образ может выражать этот самый ресурс. Вообще-то в качестве оного (образа) можно использовать все, что угодно, но буде вы не слишком компетентны в нейропрограммировании, воспользуйтесь природным явлением – ну, конечно же, не им самим, а его образом. Например, уверенность может быть передана образом стачивающего гранитные скалы морского прибоя; спокойствие – водопада, а мудрость – грандиозного горного массива (примеры, разумеется, условные).*
4. *Теперь представьте этот самый ресурсный образ прямо перед собой и некоторое время просто созерцайте его, как бы проникаясь соответствующим ресурсом.*
5. *Как следует проникшись, поместите образ проблемы перед ресурсным образом (между вами и природным явлением), после чего наблюдайте за его метаморфозами.*
6. *Когда изменения закончатся, «перезагрузите» свою нейросеть, переключив внимание на что угодно. После чего проверьте, насколько теперь эта проблема вас «достает» или напрягает.*
7. *Если результат вас устраивает, поблагодарите себя за хорошую работу. Если нет, проделайте все заново, но*

обязательно либо с другим образом того же ресурса, либо с другим ресурсом.

2.1.2. Избавление от неприятностей и навязчивостей

Напоминаю, что в разряд неприятностей и навязчивостей попадает все то, что не просто «проблемит», но еще и никак не хочет покидать вашу бедную голову и при том заставляет вас чувствовать себя довольно-таки плохо.

Для того чтобы наконец-то «проглотить», а после еще и «переварить любое неприятно-навязчивое, его нужно как бы раздробить на куски и сразу убрать («слона едят по кусочкам»). Что можно сделать, во-первых, с помощью целой системы «разрушительных» действий (в нейропрограммировании это называется *«психотехнологии разрушения структуры проблемного образа»*). Основывается все это на том, что любой негативный опыт имеет свою структуру, разрушение которой разрушает и сам этот опыт. Кратко опишу варианты действий.

1. *Представьте, что проблемный образ наклеен на лобовое стекло старого автомобиля, возьмите кирпич или булыжник и вдребезги разнесите «проклятое стекло», а с ним и изображение.*
2. *Вообразите, что образ проблемы спроецирован на большой полотняный экран. После чего с помощью паяльной лампы сожгите экран вместе с изображением.*
3. *Представьте, что проблемный образ нарисован акварелью на внешней стороне оконного стекла и внезапно пошедший дождик размывает рисунок, превращая его сначала в бесформенное цветовое пятно, а после и вовсе в ничто...*
4. *Представьте, что вы видите образ проблемы как отражение в безмятежной глади озера. Внезапно сильный шквал покрывает это изображение рябью и скрывает от глаз. А после того, как все утихло, на поверхности озера не остается ничего.*
5. *Вообразите, что проблемный образ вы видите как одну из картинок в калейдоскопе. Поверните его трубку и с удовольствием убедитесь, что изображение развалилось*

на куски и заменилось чем-то ярким и геометрически правильным.

Пожалуй, хватит с вас вышеизложенного, хотя я мог бы привести еще несколько десятков подобных и в чем-то отличающихся психотехнологий работы с неприятностями и навязчивостями. Однако опишу здесь только одну – ту, которая персонально предназначена для борьбы с неотвязными «фильмами ужасов». Оригинальное название этой *психотехнологии – «обезумливание субмодальностей»* (под коими в нейропрограммировании понимаются некие характеристики изображения проблемного образа).

1. *Быстренько (чтобы не завопить от жутких эмоций) просмотрите свой «ужастик» и оцените уровень его неприятности лично для вас.*
2. *Вторично просмотрите этот фильм, но уже как черно-белый (например, как черно-белую копию).*
3. *Просмотрите этот черно-белый фильм с утроенной скоростью.*
4. *Теперь еще и шиворот-навыворот (не знаю, как, но бессознательное знает).*
5. *Теперь еще и задом наперед.*
6. *Теперь еще и вверх ногами.*
7. *Теперь просмотрите все, что сталось на экране овальной формы.*
8. *Теперь присмотритесь собственно к экрану и «увидьте», что на самом деле этот фильм проецировался в судне унитаза. Дерните за ручку сливного бачка и спустите остатки в этот унитаз...*
9. *«Перезагрузитесь» и проверьте результаты работы (то, насколько теперь вам неприятно об этом думать и/или вспоминать).*

2.1.3. Устранение фобий

Уж что-что, а фобию – устойчивый страх чего- угодно – вам придется перерабатывать с использованием весьма серьезной психотехнологии. Поскольку, как вы, наверное, уже поняли, это нечто, что вы не смогли ни «пережевать», ни «проглотить», ни, тем более, «переварить». Однако, если создать соответствующие условия, эта триада (или «пищевая цепочка») может осуществиться буквально за считанные минуты. Если, конечно, понять две очень простые вещи. Что в любой фобии есть, во-первых, момент, когда все еще было хорошо (например, в весьма распространенной аэрофобии – страхе перед полетами – это обычно время ДО закрытия люка или запуска двигателей). И момент, когда все опять будет или станет хорошо (для «аэрофобов» это время сразу ПОСЛЕ приземления). И что именно этот кусок или отрезок между ДО и ПОСЛЕ и есть то, что нужно пережевать, проглотить и переварить. Как именно? Ну, например, с помощью *психотехнологии быстрого лечения фобий*.

1. *Определитесь, с какой такой фобией вы будете работать, и определите «фобический» отрезок между ДО и ПОСЛЕ (например, в страхе перед собаками это может быть время между пребыванием означенного животного где-то далеко и его отходом или уходом от вас на опять-таки приличное расстояние).*
2. *Представьте кинотеатр имени себя, войдите в основной кинозал и увидьте на экране неподвижный образ себя же любимого.*
3. *Последовательно и даже как бы «растворяясь», сядьте*
   в первый ряд зала (первый вы)
   в средний ряд зала (вы второй)
   в последний ряд зала (третий вы) и
   в кинобудку, откуда через толстое-претолстое стекло вы можете видеть всех троих себя и свой образ на экране.
4. *Запустите (включите) фильм о своей фобии – ну, разумеется, между моментами ДО и ПОСЛЕ (когда все еще было хорошо и когда все опять стало хорошо). Который как бы в черно-белом варианте идет на экране, но который вы лишь изредка смотрите через пресловутое маленькое окошко с толстым-претолстым стеклом.*
5. *Как только фильм окончится и все опять станет хорошо, немедленно впрыгните в его последний кадр (из кинобудки — прямо в экран), сделайте фильм цветным и ровно (или примерно) за две секунды отмотайте этот фильм на начало.*

6. *Проделайте описанные в пунктах 4 и 5 процедуры, наблюдая фильм*
   – из последнего ряда
   – из среднего ряда и, наконец,
   – из первого ряда.

При этом всякий раз как бы обратно объединяйтесь с собой так, чтобы в конце вы остались один-единственный и в первом ряду.

7. *Проверьте результаты работы и определите, какой еще фобией (ее устранением) вы хотите заняться.*

2.2. УПРАВЛЕНИЕ СОСТОЯНИЯМИ

Благо — не всякая жизнь, а жизнь хорошая

Л. Сенека

Скажите, а вы хоть представляете, насколько это здорово: по собственному желанию управлять своими состояниями, устраняя все неприятные (вредные) и, наоборот, усиливая приятные (полезные)? Причем не «разово», а, наоборот, практически везде и всегда в своей жизни? Да, вы правы – это **свобода**. Полная и подлинная, ибо хотя демократия худо-бедно, но даем нам свободу жить так, как мы хотим, действительно свободными мы становимся только тогда, когда мы обретаем свободу чувствовать, что хотим.

Как этого добиться? Да с помощью весьма нехитрого приема, почему-то воспринимаемо многими едва ли не как мистическое озарение. Посредством хорошо известного еще классическому НЛП *якорения*, а именно простого связывания некоего стимула (который здесь именуется якорем) и некой реакции (в качестве которой и выступает некое состояние). В результате чего означенное состояние будет, как чертик из коробки, возникать всякий раз, как только вы нажмете «кнопку» якоря.

Почему действительно нажмете? Да потому, что, хотя в качестве якоря используются и визуальные (образ чего-нибудь) и аудиальные (звук или мелодия) и даже так называемые дискретные (слово или числовой код) якоря, мы будем работать только с якорями кинестетическими, где в качестве стимула будет выступать нажатие на определенную точку тела (лучше в месте, где есть костная ткань, т.к. на ней больше нервных окончаний).

2.2.1. Ресурсное якорение

Первое, что вам надлежит освоить, так это возможность произвольного вызова так называемых ресурсных состояний: уверенности, спокойствия и т.п. Для чего достаточно сделать следующее (*психотехнология ресурсного якорения*).

1. *Определите ресурс, который вам точно будет нужен (например, уверенность в себе).*
2. *Выявите (просто вспомните) ситуацию (из собственной жизни), в которой этот ресурс присутствовал у вас полно и совершенно (например, в ванной или на велосипеде – бессознательному все равно, откуда брать ресурс).*
3. *Определившись с ситуацией, вспомните ее, мысленно войдите в свое тело Там и Тогда, после чего, однако, ощутите ресурс (его присутствие) в себе нынешнем, т.е. Здесь и Теперь.*
4. *Подберите место установки якоря, в качестве какового может выступать любая точка на вашем теле, на которую можете нажать вы и только вы. Поэтому, например, ладонь, за которую тебя хапают все, кому не лень, вряд ли подойдет, а вот косточки или кончики пальцев – очень даже вполне.*
5. *Немного потренируйтесь в произвольном вызывании ресурсного состояния с тем, чтобы у вас здесь не было проблем.*
6. *Теперь вызовите это состояние на уровне перед его пиком (см. рис.) и одновременно ненадолго (3-5 секунд) нажмите на выбранную точку примерно с той силой, с которой вы держите стакан или чашку. Повторите эту «связку» 5-7 раз.*
7. *Теперь, уже без всякого предварительного вызывания, нажмите на точку установки якоря и сохраните нажим до тех пор, пока секунд через 5-20 (не сразу!) вы сами собой не ощутите возникновение заякоренного ресурсного состояния.*

2.2.2. Установление автоматического запуска состояния

Развлекаться подобным действом можно до бесконечности, поскольку ресурсы чего угодно (даже удачного удара на бильярде), как и запас, карман ну совершенно не оттягивает. Однако в контексте нейротрансформинга вам необходимо нечто другое, чуть более сложное. Способность автоматически включать ресурсное состояние в нужный момент – например, олимпийское спокойствие должно сопровождать вас практически всегда. Для этого введу понятие «запускной образ» (триггер) и научу вас связывать его с ресурсом (по психотехнологии установления автоматический связи «триггер-ресурс».

1. *Определите, что вы непосредственно видите перед тем, как вам становится необходим заякоренный ресурс. Например, образ сердитого начальника за секунду до отчета «на ковре» (в этом случае вам совершенно необходимы, как минимум, спокойствие и/или уверенность).*
2. *Вспомните, где вы поставили якорь необходимого ресурсного состояния (и проверьте его работу) или заякорите это необходимое заново.*
3. *Теперь 5-7 раз (с перерывами) делайте следующее: мысленно вызывайте соответствующий образ, а сразу после этого нажимайте на якорь, вызывая ресурсное состояние.*
4. *Передохнув (сделав паузу, но не обязательно съевши то, что вообще-то есть не стоит), вызовите образ, ничего не нажимая. Скорее всего, ресурсное состояние возникает как бы само по себе и будет именно так и возникать далее при одном только появлении образа запускной ситуации.*
5. *Поблагодарите себя за хорошую работу и подумайте о том, какое бы еще ресурсное состояние и для чего конкретно вам надо автоматизировать.*

2.2.3. Слияние (коллапс) якорей/состояний

А вот эта психотехнология применяется для того, чтобы практически навсегда убрать из вашего набора состояний те, которые попросту не дают жить. Так вот, весь этот отнюдь не «джентльменский» набор типа страха, тревоги, неуверенности в себе и многого прочего, вы можете запросто уничтожить, одновременно включив два якоря: этого самого неприятного, и того, что ему противоположно (смелость, спокойствие, уверенность и прочее). И все, за чем здесь необходимо следить, так это то, чтобы «плюс-якорь» состояния был никак не слабее «якоря минуса». Иначе вам придется ставить новые позитивные якоря, последовательно уничтожая уменьшившееся, но неисчезнувшее минус-состояние. Делается *психотехнология слияния якорей* так.

1. *Определите, с чем вы собираетесь работать, т.е. какое свое негативное состояние хотите убрать раз и навсегда (предположим, что это беспокойство).*
2. *Прикиньте, за счет какого альтернативного состояния вы собираетесь это сделать (в данном случае, скорее всего, посредством спокойствия, хотя антонимом может быть уверенность в себе, безмятежность и многое прочее, что вы должны определить сами).*
3. *Оцените присущий вас (исходный) уровень беспокойства по десятибалльной системе (десять соответствует максимальному уровню оного, а ноль – минимальному).*
4. *Заякорите на одном своем колене беспокойство по схеме, аналогичной для ресурсного якорения.*
5. *На другом своем колене заякорите альтернативное состояние (спокойствия, уверенности в себе и/или безмятежности). Кстати, чтобы быть уверенным в превосходстве позитивного состояния над негативным, вы можете все эти три состояния – но последовательно, одно за другим – заякорить на один и тот же якорь, получив так называемую* ***стопку****.*
6. *Проверьте постановку якорей, после чего одновременно нажмите на оба и ждите, когда немного неприятное (не всегда приятное) состояние слияния противоположностей (этакая буря в душе) не исчезнет. Учтите, что меньше чем за 30-40 секунд это ну никак не произойдет.*
7. *Проверьте результаты работы, например, представив ситуацию, которая ранее со стопроцентной гарантией ввергала вас в беспокойство. Если хоть что-то еще осталось, повторите пункты 5-6 для нового позитивного*

(альтернативного) состояния (состояние негативное можно будет вызвать остатками старого якоря или, если надо, переякорить).

2.3. МОДИФИКАЦИЯ И ОПТИМИЗАЦИЯ ПОВЕДЕНИЯ

Боишься – не делай.
Делаешь – не бойся.
Чингисхан

Модификация поведения. Под этим страшным (но только для специалистов соответствующих спецслужб и ведомств) скрывалась (впрочем, и сейчас скрывается) целая область секретных психотехнологий, призванных без ведома человека изменить его поведение в нужную не ему самому, а кому-то другому, сторону. Так вот: ничего подобного у нас здесь не будет, поскольку заниматься мы станем всего-навсего изменением собственного неэкологичного (т.е. опять-таки не «неправильного», а просто не устраивающего вас или других или вовсе неэффективного) поведения (с, естественно, превращением оного в куда как более экологичное). Или даже просто созданием поведения эффективного и нового: «с нуля» или «с чистого листа». И единственное, что нужно здесь знать для того, чтобы все это случилось и/или совершилось, так это то, что наши «поведенческие последовательности» записаны в нашем же бессознательном в качестве этакого *внутреннего видео*. Которому мы бессознательно следуем с незапамятных времен. Но которое можно запросто переписать (или, если хотите, «переснять»). Если, конечно, знать, как это сделать.

2.3.1. Ресурсная репетиция

В основе этой ну очень простой психотехнологии лежит весьма интересная (с точки зрения так называемой психотерапии личной истории, которой мы займемся далее) идея. Если вы усвоили когда-то и ныне осуществляете довольно-таки неэффективный способ поведения, то это потому, что Там и Тогда (когда вы его усвоили) вам просто не хватило ресурсов, чтобы либо усвоить все получше, либо даже изучить что-то лучшее. А это значит, что ежели Здесь и Сейчас вы добавите в эту самую поведенческую последовательность то, чего вам Там и Тогда не хватало (а если надо, то и нечто большее), ваше поведение само собой станет более эффективным. Впрочем, убедитесь в этом сами, проделав на подходящем (вам) материале *психотехнологию ресурсной репетиции*.

1. *Разверните свое неэффективное поведение как фильм, в котором вы как бы видите себя со стороны. Оцените по десятибалльной системе (10 – max) то, насколько вы эффективны.*
2. *Определите ресурс, которого не хватает «герою фильма» (вам), чтобы он действовал максимально эффективно.*
3. *Заякорите этот ресурс по ранее описанной психотехнологии ресурсного якорения.*
4. *Теперь «включите» этот якорь и в уже совершенно другом, ресурсном, состоянии посмотрите на то, что происходит в фильме.*
5. *Если изменения вас устраивают, уже для закрепления нового поведения еще раз по три раза при включенном ресурсе посмотрите «фильм», глядя на себя со стороны. Если нет, добавьте новый ресурс.*
6. *Теперь мысленно, но также при включенном ресурсе войдите в себя в первом кадре «фильма» и как бы сыграйте его, находясь в своем теле и видя происходящее уже из своих глаз – также три раза.*
7. *Проверьте результаты работы.*

2.3.2. Переключение сценария

Некоторые наши негативные поведенческие последовательности являются столь серьезными и столь глубокого въевшимися, что, превратившись в устойчивые привычки (типа раздражительных воплей или всяческих злоупотреблений), вряд ли смогут быть модифицированы за счет одной только ресурсной репетиции. Здесь нужно использовать что-то помощнее и похитрее, а именно *психотехнологию переключения сценария*.

1. *Вспомните три ситуации вашего неэкологичного и просто неэффективного поведения.*

2. Возьмите любую из них, но пока только одну (остальные – после), и разверните ее, как кинофильм, который вы видите со стороны, но не с самого момента начала этого поведения, а еще минут за десять «до того».

3. Условно разделите этот кинофильм на две части: до «срыва» и когда «процесс пошел».

4. Непосредственно перед «срывом» найдите момент, в котором вы уже ощущали, что сейчас вас «понесет» - как волк из мультфильма, который честно всех предупреждал: «Сейчас запою!»

5. Быстренько проделайте пункты 2-4 для двух оставшихся ситуаций, чтобы убедиться, что и в них «запускное ощущение» аналогично (бессознательное очень экономно и для одного типа поведения обычно использует одну же «кнопку запуска»).

6. Убедившись, что это так, как бы «отрежьте» ту часть «фильма», где у вас неэкологичное и неэффективное поведение, но хитрым образом: сразу же за «запускным ощущением», но до того, как начался срыв (там всегда есть промежуток, как минимум, в несколько секунд).

7. Подумайте, как бы вы хотели поступать и действовать вместо того, как вы поступаете и действуете в отрезанной части «фильма» (ее, кстати, мысленно уничтожьте – например, сожгите), создайте соответствующий «фильм» и соедините его с «благоприятной» частью (остатком) первого фильма.

8. Теперь трижды «просмотрите» его, видя себя со стороны, и трижды – наблюдая и действуя как бы из своего тела.

9. Проделайте пункты 7-8 с еще двумя экологичными и эффективными способами поведения (т.е. сделайте так, чтобы у вас было ТРИ новых варианта действий в первой ситуации).

10. Сделайте все процедуры, описанные в пунктах 6-9 с двумя оставшимися ситуациями неэффективного/неэкологичного поведения.

11. Проверьте результаты и убедитесь, что вместо «срыва» у вас «идет» один из девяти (3x3) новых вариантов действий.

2.3.3. Генератор нового поведения

А вот эта психотехнология нужна всегда, когда у вас просто нечего «править», потому как нужного, пусть даже и не очень эффективного поведения просто нет как данности. Однако в нейропрограммировании существует один любопытный принцип: «Если это может хоть кто-то в мире, это могу я». Так вот, совершенно неизвестные и ранее неисполняемые вами поведенческие последовательности вы можете как бы «скалькировать» с тех, кто делает это хорошо. С помощью *психотехнологии генератора нового поведения* (кстати – посредством ее вы можете еще и улучшить любое присущее вам поведение).

1. *Выберите то, с чем вы будете работать – некую поведенческую последовательность, которая либо нуждается в улучшении, либо которую надо создать «с чистого листа».*
2. *Разверните это поведение в виде фильма, который вы смотрите со стороны (т.е. видя себя в нем) – просто вообразите его и оцените, насколько вы там эффективны, по 10-балльной системе (10 – max).*
3. *Определите Героя – т.е. того человека, который, с вашей точки зрения, может быть наиболее эффективным в вашей ситуации.*
4. *Как бы «отмотайте» «фильм» к началу, нажмите воображаемую кнопку «Pause» и «выньте» себя из первого кадра.*
5. *Опять-таки нажмите, но уже на воображаемую кнопку «Play» и внимательно отсмотрите, как там действует выбранный вами Герой.*
6. *Если то, как он действует, вас не устраивает, ищите другого Героя. Если же предъявленный вариант поведения вполне приемлем, еще раз отсмотрите «фильм», как бы вникая в детали.*
7. *Отмотайте «фильм» в начало, «выньте» из первого кадра Героя и замените его собой (любимым).*

8. *Теперь «дважды по трижды» просмотрите фильм, в котором уже вы действуете по «проторенным» (Героем) дорожкам. Три раза со стороны и три раза изнутри (в своем теле).*
9. *Проверьте результаты работы и определите, что именно будет запускным моментом этого нового варианта поведения. Лучше всего договориться с собственным бессознательным, чтобы в качестве такового выступала сама по себе ситуация (ее появление).*

2.4. ИЗМЕНЕНИЕ УБЕЖДЕНИЙ

Твердость убеждений – чаще инерция мысли, чем последовательность мышления

В. Ключевский

Эта – на самом деле, глобальная – область психокоррекции «осколков» досоциального уровня, прямо направлена на устранение всех тех, порой идиотских, правил и принципов. Которые вы использовали в качестве костылей и подпорок своего неокрепшего Эго во время приобщения к реалиям общественных отношений. И которые теперь ну никак не позволят нам пройти далее, в мир фактов, логики и выгоды. Потому как полностью всему этому, почти научному, противоречат. Не все, но некоторые. Которые принято называть ограничивающими. И которые, не соответствуя логике жизни, буквально отворачивают вас от успеха, счастья и благополучия.

Самое любопытное здесь то, что эти нелогичные убеждения невозможно изменить логически. Ибо вера – это все о том, что за пределами логики. Но есть в нейропрограммировании масса психотехнологий (из коих приведу только две), позволяющих быстро и безболезненно либо и вовсе убрать все наши благоприобретенные благоглупости, либо, как минимум, заметно уменьшить их влияние. Даровав взамен свободу – жить не так как надо, а, в общем-то, как стоит. А после – и просто как хочется…

2.4.1. Определение ограничивающих убеждений

Естественно, что перед тем, как что-то убрать, надо определить, что именно ты убираешь (и нужно ли вообще это убирать?) Так вот, сделать это не столь уж и сложно, если, конечно, вспомнить, что убеждения суть правила нашей жизни. И именно на этой простой идее основана данная *психотехнология определения ограничивающих убеждений.*

1. *Положите перед собой лист бумаги и вертикальной чертой разделите его на две половины. Обдумайте и, конечно же, запишите на любом листе бумаги свои ответы на следующий простой вопрос: «По каким правилам я живу в этой жизни?» (подвариантов масса: «зарабатываю деньги», «осуществляю взаимоотношения» и т. д. и т. п. — по «звезде благополучия»).*
2. *Исчерпав возможные ответы (хотя самые важные обычно укладываются в «магическое» число Миллера 7 ± 2) внимательно прочитайте их, и галочкой или иным другим способом отметьте те, которые при всех их кажущейся логичности, явно не экологичны (т. е. не помогают вам жить, а наоборот, мешают).*
3. *Выпишите эти ограничивающие убеждения на отдельном листе (слева), а справа сформулируйте все альтернативные им убеждения разрешающие. При этом*
   - *ни в коем случае не используйте приставку «не» (например, «жизнь тяжела» — «жизнь не тяжела»)*
   - *не будьте избыточно категоричны*
   - *не забывайте «субъекта действия» (себя любимого)*

Правильным в вышеприведенном («жизнь тяжела») случае будет примерно следующая формулировка: «жизнь вполне может быть для меня достаточно легкой».

2.4.2. Использование «Мета-Да» и «Мета-Нет»

Эта, довольно-таки простая психотехнология изменения убеждений с использованием «Мета-Да» и «Мета-Нет» в экзистенциальном нейропрограммировании делается следующим образом..

1. *Определите органичивающее убеждение, которое вы хотите убрать, оцените степень своей веры в него по*

десятибалльной шкале (max=10), и представьте это убеждение в виде чего-угодно (лозунга, свитка, предмета с надписью и т. п.) слева от вас под углом примерно 45°.

2. *Определите то, чему вы точно скажете сверхсильное «Нет!» (например, предложению продать свою бессмертную душу или что-то не менее для вас важное).*
3. *Немного потренируйтесь в умении говорить это «Мета-Нет» действительно сильно, но без криков и аффеактации.*
4. *Теперь повернитесь к своему ограничивающему убеждению (его репрезентации) и начните его буквально отгонять от себя, повторяя свое решительное «Нет!»: до тех пор пока образ данного убеждения не исчезнет где-то вдали...*
5. *Завершив «отгон», повернитесь направо (также под углом 45°); вспомните, чему вы всегда и охотно говорите «Да» (любимой, ребенку, деньгам...), представьте, что там за горизонтом уже сформировалось альтернативное «упраздненному» разрешающее убеждение и, могучим «Мета-Да», сопровождаемым, если надо приветственными взмахами рук, приведите («приманите») его в непосредственно примыкающую к вам область.*
6. *Закончив «приманивание», найдите в своем теле (совсем не обязательно — в голове) место, куда вы хотели бы поместить данное новое убеждение и с комфортом разместите его там.*
7. *Проверьте, насколько теперь вы верите в старое, ограничивающее и новое, разрешающее убеждение, используя все ту же десятибалльную шкалу. Если что-то вас не устраивает, повторите шаги 4–6.*

2.4.3. Внедрение убеждения с использованием МГД

МГД — это аббревиатура, под которой скрывается *психотехнология «метод глазодвигательной десенсибилизации»*. Создана она лично мною как версия метода, имеющего еще более страшное название: ДПДГ или десенсибилизация эмоциональных расстройств посредством движения глаз /28/, с автором которого я, так сказать, согласен в общем, но сильно расхожусь в частностях. А основано все это на, в общем-то уже знакомом вам по работе с окружением, принципе расширения зоны осознания, что позволяет легко встроить куда надо новое убеждение (которое в этом случае само убирает старое — помните про двух медведей в одной берлоге). Происходит же сие за счет специально организованных движений глаз.

1. *Представьте свое новое — разрешающее — убеждение, которое вы вводите вместо старого ограничивающего в виде, например, лозунга или чего-то иного, висящего перед вами. Проверьте уровень своей веры в него по десятибальной системе.*
2. *Посадите кого-то благожелательно к вам настроенного позади этого воображаемого лозунга (но не слишком далеко, а то ему придется махать руками на манер ветряной мельницы) и предложите ему сведя два пальца руки (указательный и средний) делать ими движение справа-налево устраивающей вас амплитуды и с оптимальной скоростью. Пока он будет делать 24 движения «туда-сюда», про себя повторяйте новое убеждение как «речевку».*
3. *Закончив первый раунд переходите ко второму, который отличается от первого только тем, что ваш визави будет пальцами (рукой) чертить знак бесконечности («лежащую» восьмерку).*
4. *В третьем раунде все это сопровождается уже движениями по кругу — для него против часовой, а для вас, соответственно, по.*
5. *Закончив все три раунда введите то, во что превратился лозунг (новое убеждение) в тело и проверьте, насколько вы теперь в него верите. При необходимости (недостаток веры) повторите пункты 2–4.*

2.5. УСИЛЕНИЕ ОБРАЗОВ СЕБЯ

Не каждому жизнь к лицу

Ст. Лец

Это один из важнейших моментов приведения себя в надлежащий для эффективности и счастливости вид. Потому как именно Образы Самого Себя (ОСС) неслучайно поставлены в центр модели «Мерседес-SK». Ведь, по сути, именно они — прямо ли, косвенно, непосредственно или опосредовано — и определяют все остальное в нашей психической жизни. Т.е. как бы задают и предопределяют и реакции на окружение, и состояния, и даже способы поведения и убеждения. Буде все это остальное строится в строгом соответствии с библейской формулой «По образу и подобию».

Для того чтобы осуществить работу с Образами Самого Себя, вам опять-таки достаточно знать совсем немногое.

Первое — что эти ОСС уже существуют в вашем бессознательном, и потому те из них, которые неэкологичны, обязательно надо заменить (мы ведь работаем с плохим, не трогая хорошее).

Второе — что в современном нейропрограммировании все эти Образы Самого Себя делятся на три класса. *Малые*, или **узкоконтекстные**, которые работают только в отдельных ситуациях (например, только перед продавщицами или гаишниками, при виде которых вы начинаете отчаянно тушеваться; или в виде стакана коньяка «Хенесси», который единственно, но немедленно заставляет вас сделать глотательное движение). *Средние*, или **ширококонтекстные** (это когда вы тушуетесь уже перед всеми авторитарными и агрессивными людьми или не можете удержаться при виде стакана *любого* хорошего коньяка). И, наконец, *большие*, или **внеконтекстные** (когда вы тушуетесь перед всеми без исключения людьми или не можете удержаться, чтобы немедленно не выпить все, что горит).

Ну а третье — то, что базовой процедурой изменения Образа Самого Себя у нас будет выступать, так сказать, классика нейропрограммирования, а именно процедура, именуемая *взмах*.

2.5.1. Контекстный взмах

Процедура эта настолько проста (но страсть как эффективна), что ее можно описывать сразу, не прибегая ни к какой теории (*психотехнология контекстного взмаха*).

1. *Определите свою проблему, т. е. какую-то неуместную или просто никуда не годящуюся реакцию, проявляющуюся в некоторых условиях и обстоятельствах (для примера возьмем раздражение по поводу тещи, препятствующее нормальной жизнедеятельности).*

2. *Выявите, какой такой образ ситуации (и какие его параметры) запускают эту реакцию. Т.е. что — буквально — вам надо увидеть (что вы видите...), чтобы понять, что уже можно раздражаться (...что «включает» ваше раздражение). Предположим, что это образ тещи, злорадно раскрывающей рот, чтобы высказать свое мнение о ваших «достоинствах».*
3. *Теперь подумайте, каким вам нужно быть для того, чтобы это перестало быть проблемой. Уверенным? Сильным? Снисходительным? Спокойным? Определитесь с тем, какой Образ Нового Себя вам нужен в этой ситуации.*
4. *Вообразите или создайте этот образ — того, для которого все это не проблема. Например, вы можете использовать подходящий ОСС из другой ситуации, в которой вы проявляете необходимое качество вашей личности (на самом деле, за каждым из этих качеств и стоит соответствующий Образ Самого Себя). Или же воссоздать совершенно новый образ, используя в качестве исходной матрицы подходящий эталон (от Шварцнеггера в роли Терминатора, величественно говорящего теще: «I'll be back!» до удава Каа, «нежно» провозглашающего: «Слушайте меня, бандерлоги»). Учтите только, что образ должен быть именно ваш, хотя и с «начинкой» того же Терминатора и/или Каа.*
5. *«Сожмите» этот образ, превратив его в маленький, темный, но очень стремящийся вернуть себе прежние размеры квадратик. И потренируйтесь в том, чтобы по одной только команде «Взмах» (можете считать ее магический) этот квадратик мгновенно разворачивался в полноценный Образ Нового Себя (ОНС).*
6. *Теперь приступайте к изменению, для чего представьте образ, запускающий проблемную реакцию, практически сразу же вставьте в него маленький темный квадратик с ОНС и, скомандовав самому себе «Взмах», очень быстро превратите его в полноценный, большой и даже как бы закрывающий проблемно-вызывающий образ на Образ Нового Себя.*
7. *«Перезагружаясь» после каждого взмаха, повторите все это пять-семь раз, после чего осуществите проверку вашей работы, для чего либо представьте вызывающий*

проблему образ, который, скорее всего, как бы сам собой заменится или просто исчезнет, либо смоделируйте ситуацию проблемы и убедитесь, что она таковой больше не является (пойдите к теще и обнаружьте, что вам почему-то трудно испытать раздражение, зато то, что было в ОНС, проявляется чуть ли не с избытком).

2.5.2. Взмах ширококонтекстный

Для того чтобы изменить посредством замены Образа Самого Себя свою же неэкологичную реакцию не в одной, а в целом классе ситуаций, достаточно лишь чуть-чуть модифицировать вышеописанную процедуру (*психотехнология ширококонтекстного взмаха*).

1. *Выберите две-три ситуации, в которых вы в, общем-то, отличающихся условиях и обстоятельствах проявляете одну и ту же неудачную реакцию.*
2. *Просмотрите каждую из них, стараясь отследить*
   - *образ, вызывающий проблемную реакцию;*
   - *ощущение, возникающее между возникновением этого образа и данной реакцией: волна злости, судороги страха и многого прочего, что в классическом нейропрограммировании называется «внутренний триггер» (в отличие от образа, который, как вы понимаете, должен называться «триггером внешним»). Мы это будем называть «запускным моментом»*
3. *Убедившись, что реакция одна и та же, хотя ситуации разные, потренируйтесь в том, чтобы вызывать ее по собственной воле.*
4. *Сделайте все, что надо, чтобы совершить взмах (определите необходимое качество, подберите или создайте соответствующий образ и потренируйтесь в его «возникновении» из маленького темного квадратика — кстати, последнее здесь, как вы скоро поймете, даже как бы и не обязательно).*
5. *А вот теперь осуществите взмах, но по весьма хитрой схеме: сначала вызовите «запускное» ощущение, а потом сразу за ним, с минимальным интервалом — Образ Нового или Сильного Себя.*

6. *Повторите это действо 5–7 раз, после чего проверьте результаты, заново представив 3–4 ситуации (разные), в которых данная реакция ранее возникала.*
7. *Если результат вас устроил, сделайте еще один взмах и, удерживая Образ Нового или Сильного Себя, «размножьте» его, как колоду карт (вспомните любой аналогичный кино — и/или телеэффект), после чего один образ временно оставьте перед собой, а остальные «отправьте» (любым воображаемым образом) во все ситуации, где это нужно, причем не только в настоящем, но еще и прошлом, и будущем.*
8. *Представив вокруг себя некое пространство, заполненное множеством Образом Нового Себя, мысленно вытяните руки и «втяните» тот из них, который остался перед вами в собственное тело.*
9. *Любым образом — за счет балльной оценки, умозрительно («и в этой ситуации») или чисто поведенчески проверьте результаты. И, если они вас устроят, поблагодарите себя за хорошую работу.*

2.5.3. Внеконтекстный взмах

А это уже ну совсем просто, хотя и по-своему прямо-таки гениально. Это я про идею о том, что чем каждый раз возиться с заменой неизвестного, но явно никуда ни годного Образа самого Себя на годный посредством «вставления» последнего в «запускные» ситуацию или состояние, не проще ли просто и недвусмысленно поменять условие «плохой» образ на безусловно «хороший»? Идею, которая и была реализована в *психотехнологии внеконтекстного взмаха.*

1. *Обозначьте проблему, с которой вы будете работать (возьмем, к примеру, неуверенность в себе).*
2. *Определите то, что вы хотите иметь ВМЕСТО проблемы — предположим, что в данном случае уверенность.*
3. *Выясните (выделите, воссоздайте) проблемный образ («Каким вы себя представляете, когда чувствуете себя же неуверенным?»).*
4. *Репрезентируйте желаемый образ себя («Каким вы себя видите или хотите видеть, когда уверены в себе?»).*

5. Подготовьте желаемый образ. Сделайте его максимально мощным, сильным и привлекательным (например, за счет яркости и цвета), после чего сожмите его в маленький светлый шарик, готовый развернуться и уничтожить проблему (потренируйтесь в «разворачивании»).

6. Собственно взмах. Представьте, что с этим светлым шариком, готовым развернуться, вы идете в проблему и видите Образ Неуверенного Себя, после чего сразу же позволяете шарику раскрыться и заменить этот образ на новый. Сделайте это от пяти до семи наз.

8. Проверьте результаты работы.

Примечание. Вы также можете:

- *быстро приближать «хороший» образ, одновременно удаляя «плохой»;*
- *заменять образы как слайды в диапроекторе;*
- *«растворять» или «затуманивать» неблагоприятный образ в зеркале, после чего «проявлять» в нем образ благоприятный.*

Упражнение 21.

Устраните все мешающие вам жить проблемы в вашем окружении.

Упражнение 22.

Оптимизируйте или создайте заново необходимые для вашей нормальной экзистенции состояния.

Упражнение 23.

Модифицируйте соответствующее (нужное и полезное) поведение.

Упражнение 24.

Замените свои ограничивающие убеждения на убеждения разрешающие.

Упражнение 25.

Создайте новые Образы Самого Себя, необходимые вам жизни для.

ГЛАВА 3. ПСИХОТЕРАПИЯ СОЦИАЛЬНОГО УРОВНЯ

**Дальновидный человек должен определит
место для каждого из своих желаний и затем
осуществлять их по порядку.**

Ларошфукс

Однажды американцы и китайцы устроили между собоі соревнование по академической гребле. К ужасу американскоі команды, на финише китайская лодка обошла их более чем нс милю. Униженные американцы заключили договор с консалтинговой фирмой, которая после долгих исследований выяснила, чтс у китайцев было восемь гребцов и один рулевой, а у американскоі команды — один гребец и восемь рулевых. И всего после годс дополнительных изысканий был сделан вывод о том, что у американцев было слишком много рулевых и слишком мало гребцов

В результате в структуру руководства американской командой, по рекомендации консалтинговой фирмы, были включень четыре менеджера по рулению, три старших администраторс в области руления и новая, обеспечивающая рабочую инициатив система оценки гребцов.

На следующих соревнованиях китайцы обогнали американцеє на три мили. Униженное руководство уволило гребца за плохоє выступление и выписало премию менеджерам за хорошее управление...

Эта глава и эти психотехнологии — для тех, кто как бы удался. Добился, смог, достиг. Всего того, что позволило ему если и не взлететь, то хотя бы как бы подняться. Над условным средне-нижним уровнем бытия большинства. А поднявшись внезапно застрял, ибо вместо поисков новых путей покатился пс накатанной колее. Более уже не ведущей не то чтобы к успеху, нс даже просто к благополучию. И вместо эффективности и счастливости обрел рутину и скуку повседневного существования, которое ранее казалось (только казалось...) и ярким, и манким...

Так вот, чтобы действительно пойти дальше и даже подняться выше, вам надлежит как следует разобраться со своим своеобразным наследством: командой вашего «Я». Которую нужно как бы апгрейдить, дабы она могла перевести вас в следующую лигу...

В принципе, тому, что описывается в этом разделе (психотехнологиям работы с Самостоятельными Единицами Сознания) я посвятил отдельную книгу («Команда нашего «Я»). И потому всех, желающих детально ознакомиться как с теорией, так и с практикой вопроса, решительно посылаю (простите — отсылаю) именно к этому произведению.

Однако то, что будет описано далее, представляет собой не парафраз или, просто, коротенький пересказ представленных в вышеупомянутой книге СЕС — классических и модерновых –, но новые более простые и удобные в применении их версии.

Каковые, однако, вы должны использовать с умом. В том самом, единственном, но крайне важном плане: достижения желаемых целей экзистенции. Что потребует от вас понятия и принятия нижеследующего.

Согласно концепции социального уровня жизни и общей теории Самостоятельных Единиц Сознания, вы в своей жизнедеятельности не достигаете своих же целей (в области здоровья, взаимоотношений, любви/ секса, работы, денег и прочего) по пяти основным причинам.

1. СЕС, которая у вас отвечает за эту область, использует и реализует давно устаревшие или изначально неэкологичные программы (например, вы зарабатываете деньги как-то по-детски).

2. У вас просто нет той Самостоятельной Единицы Сознания, которая должна обеспечивать данную область жизнедеятельности (например, вы вообще не умеете зарабатывать).

3. В вашей психике присутствует конфликт между противоположно настроенными СЕС (например, одна часть вас считает, что надо зарабатывать, не особо ограничивая себя в средствах, тогда как другая убеждена, что сие глубоко безнравственно).

4. Вы вообще буквально загнали полезную для вас Самостоятельную Единицу Сознания в так называемую Тень и живете, даже не подозревая, насколько она может вам помочь, (например, вы существуете как форменный бессребреник — сиречь, на последние гроши –, даже не подозревая, что в глубине вашего бессознательного скрывается СЕС, способная делать деньги не

хуже Абрамовича, но не принятая вами в силу какого-то давнишнего «низзя!»).

5. Вы умудрились где-то и как-то потерять ну очень важную для вас СЕС — или же ее у вас просто грубо украли (или отобрали).

Именно психотехнологиям, позволяющим решить все вышеперечисленные проблемы и посвящена эта глава.

3.1. ОПТИМИЗАЦИЯ НАЛИЧЕСТВУЮЩИХ СЕС

> Самое трудное в споре — не столько защищать свою точку зрения, сколько иметь о ней представление.
>
> А. Моруа

В основе и даже как бы «на входе» этой работы лежит очень простой «исходник». Предположим, что вы, как и все в этой на глазах жаднеющей стране (от слова «жадина»), хотите куда как больше зарабатывать (это ваша цель). Что ж, тогда попробуйте честно и непредвзято ответить на следующий вопрос: «Что мешает вам это делать?». А далее просто поймите, что за каждым вашим ответом («Боюсь»; «Почему-то не очень-то и хочу»; «А оно мне надо» и т. п.) стоит отдельная Самостоятельная Единица Сознания. Каковую надо просто-напросто *переубедить*. В том, что зарабатывание опасно, нежеланно и не необходимо (я использую вышеописанный пример). На то, что оно (например) естественно, желательно и очень даже важно. Посредством ну очень вариативной *психотехнологии трансформации СЕС с использованием внешней проекции*, каковая описана ниже.

1. *Поставьте перед собой на расстоянии 2–3 метров стул или табуретку; определите, с чем конкретно вы будете работать; оцените эффективность в искомой области по десятибалльной шкале (предположим, что это все-таки страх зарабатывать).*
2. *Вспомните любую ситуацию, когда он у вас возникал, и ощутите данный страх (например, третьего дня вам предложили очень выгодную, но рисковую сделку, и вы отказались, предварительно испугавшись).*

3. *Определите, что конкретно вы ощущаете этот самый страх (в животе, в груди, в горле...), после чего как бы немного погрузитесь в него (но так, чтобы не захлебнуться...).*
4. *Теперь сделайте то, что у новичков практически всегда вызывает оторопь, иногда переходящую в ступор. Продолжая опираться на «страховое» ощущение, попросите ваше бессознательное буквально спроецировать на стул/табуретку (как бы воссоздать на нем) образ той Самостоятельной Единицы Сознания, которая, так сказать, ответственна за этот самый страх.*

Примечание: поскольку это сразу очень даже может и не получиться, предлагаю воспользоваться простой схемой, разработанной для, так сказать, особо продвинутых клиентов.

Скажите, если бы на стуле/табурете что-то все-таки было бы, то каких размеров оно бы было? А какой формы? Какого цвета? И на что при всем притом было бы похоже?

Предположим, что вы «увидели» на стуле/табурете что-то отдаленно похожее на плюшевого мишку, но жутко облезлого и с недостающими конечностями.

5. *На всякий случай попросите у СЕС как бы получше проявиться, выразив весь свой потенциал, после чего, вне зависимости от отклика на ваш призыв* (то есть того, изменилась ли она внешне или нет), *приступайте к собственно трансформации, вариантов которой ну очень много, а я дам вам только пять.*

   5.1. Подумайте, каких таких (других) размеров, формы и цвета вы хотели бы видеть эту Самостоятельную Единицу Сознания (какой она должна быть, чтобы, так сказать, «соответствовать»), после чего и превратите ее в таковую желаемую.

   5.2. Спросите СЕС, сколько ей лет (зуб даю, что перед вами ребенок), *обоснуйте необходимость «ейного» взросления и, добившись согласия на оное, предложите Самостоятельной Единице Сознания присоединиться к вам* (можете вообразить это соединение) *и получить все те знания и весь тот опыт, который был обретен вами после ее рождения (в* результате этого процесса СЕС обычно видоизменяется сама и притом ну очень радикально).

5.3. Предложите Самостоятельной Единице Сознания «облагородиться» с помощью некоего «черного ящика» (хотя лучше подойдет что-то менее кибернетическое, но более сказочное: например, котел с золотистой жидкостью, в которой она должна нырнуть — иногда многократно, чтобы вынырнуть совсем другой) *и, так сказать, осуществите процесс «черноящечного» преобразования.*

5.4. Спросите СЕС, каких таких ресурсов ей не хватает, чтобы существенно подрасти и улучшиться (например, уверенности, силы, смелости и т. п.), *после чего представьте шар или облако* (здесь обязательно «или» — вы ведь не знаете, что предложит ваше бессознательное) *соответствующего ресурса и разрешите ему «повзаимодействовать» с Самостоятельной Единицей Сознания, любым образом войдя в нее.*

5.5. Попробуйте выяснить у СЕС, каких именно знаний и опыта ей не хватает, чтобы «работать» на куда более высоком уровне, вообразите соответствующее учебное заведение, отправьте туда свою Самостоятельную Единицу Сознания на, так сказать, обучение и проследите, чтобы она прошла весь курс и обязательно получила диплом.

6. *Теперь представьте, что трансформированная СЕС отправляется выполнять за вас ваши обязанности в проблемной области. Просмотрите сие действо как фильм и, если вас все там устраивает, приступайте к пункту 7. Если нет — возвращайтесь к пп. 5.1–5.5.*
7. *Предложите новоиспеченной Самостоятельной Единице Сознания войти в ваше тело и занять там то место, которое для нее необходимо и желательно. Выждав несколько минут, опять оцените свою эффективность в этой, скорее всего, уже бывшей, проблемной области — по все той же десятибалльной системе…*

3.2. СОЗДАНИЕ НОВЫХ САМОСТОЯТЕЛЬНЫХ ЕДИНИЦ СОЗНАНИЯ

Жизнь ни о чем не думающих людей самая приятная.

Софокл

Обычно я не комментирую афоризмы, которые использую в качестве эпиграфов. Да и связь их с содержанием озаглавливаемого материала может быть весьма условной. Однако здесь вышеприведенное высказывание Софокла попадает ну прямо-таки в точку. По одной простой причине: именно создание все новых Самостоятельных Единиц Сознания, *бессознательно* (как бы «на автомате») осуществляющих некие рутинные (или не очень) жизненные функции, позволяют нам освободиться от порой мучительного обдумывания и обделования «выживательных» мелочей и, после чего действительно повернуться лицом к жизни и ее осознанию (и жизнедеятельности ради, и витальности для). Например, вы пишете нечто, особенно не задумываясь над тем, как это делать. И все потому, что после мытарств и мучений, которые вы пережили в первом классе, обучаясь письму, у вас таки создалась СЕС, которая теперь делает это за вас. А я, в отличие от вас, «на полном автомате» пишу любые тексты (включая эту книгу), т. е. не задумываясь уже не только о том, как писать, а и о том, что писать. Но потому, что сам создал Самостоятельную Единицу моего Сознания, которая это за меня делает (и, разумеется, не только ее одну). С помощью *психотехнологии создания новых СЕС*, один из вариантов которой приводится далее.

1. *Определите новую область поведения (в широком смысле этого слова), для которой вы собираетесь создать новую Самостоятельную Единицу Сознания. Оцените свои способности эффективно ее осуществлять по десятибалльной шкале (max = 10).*
2. *Вообразите и отобразите (как некий фильм) контекст нового поведения — не менее трех ситуаций, в которых оно вам будет нужным. Можете даже для улучшения динамической визуализации представить себя, действующего в новой для него области, хотя это и не обязательно.*

3. *Выберите Героя — некоего реального или воображаемого (это может быть, например, литературный персонаж) человека, про которого вы точно знаете, что он высококомпетентен и высокоэффективен в моделируемой вами новой области поведения.*
4. *Как бы впустите героя в свой фильм и внимательно рассмотрите, как именно он действует в трех ваших ситуациях. Смотрите до тех пор, пока почему-то не надоет (это значит, что бессознательное все поняло).*
5. *Попросите Героя стать неким «играющим тренером» и побыть с вами рядом, пока вы будете, так сказать, учиться и осваиваться. Замените его в первом кадре на себя, но не изымайте вообще из фильма, а предложите как бы чуть с боку демонстрировать новые способы действий и контролировать то, как вы их исполняете.*
6. *Когда то, что делает он и вы, практически не будет отличаться, поблагодарите и отпустите Героя, после чего еще три раза отсмотрите фильм о себе, осуществляющем поведение в новой для него (вас) области (во всех трех ситуациях).*
7. *Закончив просмотр, мысленно «наденьте» на себя этот фильм в первом его кадре. То есть как бы войдите в свое тело и по проторенной сначала Героем, а потом и вами дорожке сделайте то, что ранее было новым и трудным для вас (разумеется, мысленно, в воображении, но для полноты оного можете даже «подшевеливать» — от слова «шевелить» — телом и конечностями...).*
8. *Освоив новую область как бы изнутри (а признаком этого освоения является отсутствие неприятных ощущений при воображаемом исполнении искомого и желаемого), вступите в контакт с собственным бессознательным (можете просто вообразить, что обращаетесь к собственной Внутренней Мудрости, которая передает ответы «да» и «нет» в виде легких и совершенно непроизвольных кивков головы). После чего последовательно задайте ему (или ей) следующие три вопроса.*

– *Принимается ли новая область поведения?*
– *Одобряется ли способ (ы) ее осуществления?*
– *Не имеют ли какие-нибудь другие СЕС что-то против?*

9. *Получив утвердительные ответы на все три вопроса, приступайте уже к активному диалогу с «тем, что внутри», смиренно прося о следующем.*

– *Выделить новое сущностное качество, которое объединяет новое поведение во всех трех ситуациях.*
– *Обобщить его на все аналогичные ситуации вашей жизнедеятельности.*
– *Создать Самостоятельную Единицу Сознания, которая отныне и далее будет осуществлять то, ради чего вы и затеяли работу с этой довольно простой, но, увы, громоздкой психотехнологией.*

10. *Ощутив некие признаки завершения процесса (что-то вроде «Закончено», «Сделано» и т. п.), попросите проявиться в вашем теле новой СЕС (место, размер, форма, цвет, консистенция); поблагодарите ее за кооперацию; похвалите за усердие; и объясните (мысленно), как вы ей рады, потому что то, что она будет делать, для вас жизненно необходимо и очень важно. После чего вежливо поинтересуйтесь, когда именно данная Самостоятельная Единица Сознания приступит к работе («через пять минут» будет в самый раз).*
11. *По истечении этого времени оцените, насколько теперь вы способны осуществлять бывшее новым для вас поведение по десятибалльной шкале (max = 10). Если значения низки или просто вас не устраивают, повторите шаги 3–10.*

3.3. ИНТЕГРАЦИЯ КОНФЛИКТУЮЩИХ СЕС

Умей прощать, и мощь твоя умножится

Публий Сир

Проще всего объяснить суть феномена конфликтующих между собой Самостоятельных Единиц Сознания можно на простом и весьма расхожем примере. Скажите, вы когда-нибудь сидели на диете? Наверное, да, хотя и не очень успешно. Что, начинаете догадываться, почему? Совершенно верно. Именно поэтому. Из-за конфликта двух СЕС. Одной — хиленькой и слабенькой, хотя и реализующей благородное стремление иметь фигурку мирового класса. И другой — мощной и сильной, торжествующе осуществляющей искомое и впитанное с молоком матери желание сожрать что-либо вкусненькое, причем в неограниченном количестве, и тем порадовать себя и свое неуклонно полнеющее тело...

Между тем, если бы вы применили нижеописанную *психотехнологию интеграции конфликтующих Самостоятельных Единиц Сознания* вместо этакой борьбы нанайских мальчиков, буквально раздирающей вас на части, вы получили бы вполне пристойное «новообразование» (сиречь новую, объединившую обоих оппонентов СЕС). Которое, с одной стороны, не изнуряло бы вас чудовищными диетами, а, с другой, не заставляло бы на этакий удавий (от слова «удав») манер объедаться после оных. И нашли бы некую золотую середину во взаимоотношениях с собственным телом, позволившую вам стать не худым (это ведь от слова «худо»), но стройным.

1. *Определите противоречие, с которым вы будете работать. Некую область вашей жизнедеятельности, в которой у вас наличествуют противоположные тенденции, регулярно сменяющие друг друга (большей частью это все случаи борьбы между каким-то «надо» и вполне определенным «не хочу»).*
2. *Вспомните ощущения, которые сопровождают проявление каждой из полярностей, и по схеме, описанной в психотехнологии трансформации наличествующих Самостоятельных Единиц Сознания (п. 4), поместите их перед собой слева и справа либо на стульях, либо просто на листах бумаги, положенных на пол.*
3. *Теперь строго последовательно перемещаясь в оные — т. е. буквально надевая на себя виртуальное тело каждой из СЕС или впуская его в себя — и как бы говоря от их имени, проясните следующие вопросы.*

3.1. Как Самостоятельная Единица Сознания А относится к Самостоятельной Единице Сознания Б и как СЕС Б относится к СЕС А?

3.2. Что конкретно делает Самостоятельная Единица Сознания А, а что — — Самостоятельная Единица Сознания Б?

3.3. Зачем это делает СЕС А, а зачем — СЕС Б? Чтобы что получить, чего достичь, какого такого более ценного результата добиться?

3.4. Согласны ли обе Самостоятельные Единицы Сознания, что они пытаются дать вам практически одно и тоже, но по-разному?

3.5. Какие ресурсы, могущие пригодиться в их, СЕС, жизнедеятельности, они видят в своем оппоненте?

3.6. Согласны ли они обменяться этими ресурсами?

3.7. Могут ли они приступить к этому прямо сейчас?

Чтобы вам это было более понятно, приведу условный пример с диетой.

Диетическая Самостоятельная Единица Сознания ненавидит прожорливую СЕС, а та ее в ответ презирает.

Диетическая Самостоятельная Единица Сознания следит за тем, чтобы вы не ели больше 1200 калорий в день, а прожорливая — чтобы вы были сыты.

Диетическая СЕС делает это ради следующей цепочки целей:

диета → стройность → удовлетворенность → счастье.

А прожорливая Самостоятельная Единица Сознания совершает свои разрушительные для стройности вашего тела действия из-за цепочки другой:

сытость → довольство → удовлетворенность → счастье.

Обе СЕС слегка ошарашено, но признают, что, по большому счету, добиваются одного и того же. Диетическая Самостоятельная Единица Сознания видит в прожорливой СЕС целеустремленный гедонизм и дьявольское упорство. Прожорливая Самостоятельная Единица Сознания узрела в диетической СЕС энтузиазм и «прекраснодушное простодушие». Обе Самостоятельные Единицы Сознания согласны обменяться этими ресурсами, причем прямо сейчас.

4. *Подойдите поближе к виртуальным репрезентациям ваших СЕС, возьмите их за воображаемые руки (или любые другие конечности, которые у них есть), поверните лицом друг к другу и попросите создать между собой энергетический мост для обмена ресурсами (любого вида и любой же формы –это я про мост). Предложите начать этот обмен, и, по мере оного, начинайте нежно и без спешки сводить Самостоятельные Единицы Сознания друг с другом посредством (или с помощью) сближения ваших рук (до полного их соединения).*
5. *После того как СЕС сольются, дождитесь их окончательной интеграции, что наглядно выразится в появлении какого-то нового образа, объединяющего некоторые (надеюсь – лучшие) черты каждой из них. Убедившись, что образ этот не вызывает у вас ни оторопи, ни отторжения, введите интегральную Самостоятельную Единицу Сознания в свое тело.*

3.4. ВОССОЕДИНЕНИЕ С ОТТОРГАЕМОЙ САМОСТОЯТЕЛЬНОЙ ЕДИНИЦЕЙ СОЗНАНИЯ

Ты должен сделать добро из зла. Потому что больше его делать не из чего...

Р.П. Уоррен

Психологический материал, для работы с которым создана нижеприлагаемая психотехнология, весьма сложен как для изложения, так и для понимания. Ведь он, по сути, представляет нечто, что когда-то было признано запретным и отвергаемым. Некую область вашей жизни, на которую было наложено психологическое табу. И которая теперь проявляется в том, что вы в других категорически не приемлете то, что на самом деле отказываетесь принимать в себе...

При первом знакомстве эта информация оборачивается серьезным шоком. Потому что, согласно так называемой концепции проекции, запретные для себя области своей психологической жизни человек как бы переносит (проецирует). Изнутри себя — вовне. И буде это запретное он в себе ненавидит, начинает истово и неистово ненавидеть всех тех, кто это запрещаемое и подавляемое открыто проявляет. И, естественно, борется против, хотя иногда и за...

А это значит, что, как это ни печально, но самые яростные противники гей-парадов суть латентные гомосексуалисты. Наиболее яростные борцы с «зеленым змеем» — скрытые алкоголики. Апологеты свободы везде и всем, суть совершенно не свободные люди (т. е. сражаются они все-таки не за вашу, а за свою свободу). А яростные противники всяческих тираний являются, по сути, такими же тиранами, не приемлющими собственную тираничность...

Впрочем, хватит углубленного психоанализа. Тем более что лично меня нынче смущает (порой до дрожи) ну очень много. Например, ситуация в нашей стране. Где одни наводят порядок вовне, похоже, только для того, чтобы избежать порядочности в собственной душе. А другие борются за внешнюю свободу, чтобы хоть так выдавить из себя того самого раба, о котором писал А. Чехов...

Психотехнология, которая ранее использовалась для возвращения утраченных частей, представляла собой почти точную копию той, которая изложена в предыдущем разделе. Однако сравнительно недавно, была создана куда как более простая ее версия. Которая буквально позволяет возвращать уже не только то, что отвергается, но и то, что за этим стоит. Ребенка, которого часто выкидывают вместе с водой.

Например, предположим, что вы хотите заняться бизнесом. Скажите, а какой тип бизнесменов вам более всего не нравится? Что, все те, кто беззастенчиво делают деньги практически из ничего? Что ж, тогда гарантирую, что лично вы делать деньги не сможете. Потому что эта ваша вполне даже реальная способность ныне буквально погребена: под проекцией вашей ненависти к ней...

Иногда бывает и хуже. На одном из семинаров я работал с молодым человеком, который ненавидел гомосексуалистов, но в своем абсолютно праведном сексуальном поведении был, так сказать, не вполне потентен. Так вот, именно за отторгаемой им проекцией собственной гомосексуальности и обнаружилась вся его утраченная потенция. Каковая, естественно, и была возвращена своему хозяину со всеми вытекающими и крайне приятными для него последствиями. С помощью *психотехнологии работы с отторгаемой проекцией*, которая мною делается так.

1. *Определите, с чем конкретно вы будете работать. Это может быть, во-первых, важная для вас область, в которой вы, увы, не преуспели, а, во-вторых, нечто ну начисто вами отторгаемое у персон, которые этим занимаются.*
2. *Найдите в пространстве вокруг себя место, где представлена эта так называемая отторгаемая персонификация. Сделать это не так уж и легко (для новичка), поэтому предлагаю следующий алгоритм.*

   2.1. Определите, где и что внутри вас яростно отторгает то, что оно отторгает.

   2.2. Теперь представьте, что из этого места выходит (вылезает) некий гибкий шнур (вовсе не обязательно прямой).

   2.3. С любопытством наблюдая за его «разворачиванием на марше», дождитесь, пока он как бы упрется в некую точку пространства или укажет на нее.

   2.4. Если эта точка находится слишком далеко, приблизьте ее на максимально возможное расстояние (до метра, но не более).

   2.5. По уже известной вам схеме (размер, форма, цвет, консистенция — и на что это похоже) увидьте отвергаемую персонификацией проекцию одной из сторон вашего «Я».
3. *Теперь самое интересное. Очень вежливо попросите эту самую персонификацию как бы отойти в сторону и показать (проявить, предъявить...) то, что за ней скрывается.*
4. *Обнаружившийся образ вашей несколько девственной, но способности, проверьте ее «на вшивость», после чего ресурсируйте и обучите делать то, ради чего он (а) когда-то и был (а) создан (а). Закончив, введите образ в себя.*

5. *Поблагодарите отторгаемую персонификацию и либо предложите ей превратиться в нечто «разумное, доброе, вечное» (если, конечно, она на это согласна), либо отпустите ее восвояси. Дабы по уже небезызвестному вам морфическому полю Р. Шилдрейка она перешла к тому, кому может оказаться полезной...*

3.5. ВОЗВРАЩЕНИЕ УТРАЧЕННЫХ СЕС

Ничто на Земле не проходит бесследно.
В. Добронравов

В основе этой немного даже мистической (а если честно, то очень даже мистической...) психотехнологии лежит простое житейское наблюдение. То, что люди сплошь и рядом упоминают (говорят) о потери ими некоторых значимых способностей, черт характера или качеств личности. «На Севере я оставил свое здоровье». «Я отдала ему свою любовь» (по-видимому, способность любить). «Он украл мою удачу». «Они отобрали у меня веру в себя». И, как говорится, т.д. и т. п.

В течение довольно долгого времени стоящий за этим феномен — утрата какой-то Самостоятельной Единицы Сознания в результате простой *потери* (здоровья), *добровольной отдачи* (любви), *кражи* (удачи) и даже *грабежа* (веры в себя) — как-то не слишком принимался во внимание серьезными исследователями Бессознательного. Но потом они спохватились и сначала в лице Ф. Фанча (/27/), а потом и некоторых других (это я себя имею в виду...) признали его как данность. И даже как бы постулировали, что на данной жизненной дороге мы теряем не только зубы, волосы и оптимизм, но еще и кучу СЕС. Которые, в принципе, очень пригодились бы нам в нашей экзистенции.

Ну, сами посудите: столь необходимые для жизни, а не выживания непосредственность, энтузиазм, восприимчивость, да и просто радость для многих давно уже стали воспоминаниями («давно это было...»). И люди даже не знают того, что, согласно закона сохранения (не только материи, но еще и энергии, а также и информации), ничто не исчезает бесследно. И буквально все утерянное в прошлом можно вернуть в настоящее и будущее. Если, конечно, воспользоваться психотехнологией возвращения утраченных «Самостоятельных Единиц Сознания», описание которой приводится ниже.

1. *Определите, что именно вы хотели бы вернуть, а также то, насколько вы этим сейчас владеете (по десятибалльной шкале).*
2. *Попробуйте вспомнить, когда это у вас было в последний раз.*
3. *Мысленно вернитесь в Там и Тогда и как следует осмотритесь: очень может быть, что утраченная СЕС по-прежнему находится в месте и времени, где вы ее оставили (это только для того, что вы действительно оставили).*
4. *Если вы свою Самостоятельную Единицу Сознания отдали (и уж, тем более, если ее у вас украли или грубо отобрали), ищите: нет, не женщину, а того, кто в этом участвовал или же это совершил.*
5. *Может случиться и так, что вам придется буквально следовать по стопам своей утраченной СЕС, которая за время вашего отсутствия переместилась в какое-то иное (часто сказочное) место. Здесь хорошим подспорьем выступают всякие там Клубочки, Серые Волки, ковры-самолеты и прочая полезная живность из сказок.*
6. *Отыскав часть для случая из п. 4, сначала договоритесь с, так сказать, ее временными владельцами (ВВ). Твердо стойте на своем в том, что это ваша, а не их Самостоятельная Единица Сознания. Что в реальной жизни они уже всласть напользовались ею, так что пора и честь знать. И что в благодарность за возвращение вы согласны оплатить им некоторые будущие неудобства выдачей определенных ресурсов.*
7. *После окончания переговоров с ВВ, а также просто в случаях пп. 3 и 5 попросите СЕС к вам вернуться. Для чего извинитесь за то, что вы ее фактически бросили. Расскажите о том, как вам ее не хватает. Дайте необходимые ресурсы. Словом, сделайте все, чтобы она согласилась.*

8. *Введите согласившуюся вернуться Самостоятельную Единицу Сознания в свое тело и дождитесь полной интеграции с ней.*
9. *Оцените, насколько вы теперь обладаете тем, что возвращали...*

Упражнение 26.

Составьте список всех препятствующих вашей окончательной социализации СЕС и трансформируйте их в нечто разумное, доброе и вечное (разумеется, каждую по отдельности).

Упражнение 27.

Определите, каких таких Самостоятельных Единиц Сознания вам не хватает завершения выживания для. И создайте их во имя собственного блага.

Упражнение 28.

Запишите все противоречия вашей ну напрочь противоречивой натуры и осуществите интеграцию конфликтующих СЕС.

Упражнение 29.

Составьте список всего того, что вы ненавидите в людях успешных и состоявшихся, после чего поищите за отвергаемыми проекциями свои латентные (скрытые), но очень даже компетентные Самостоятельные Единицы Сознания.

Упражнение 30.

Составьте реестр всех утраченных СЕС, определите, какие из них вам наиболее пригодятся в плане завершения социального уровня жизни, после чего, естественно, «возверните» их себе.

ГЛАВА 4.
ПСИХОТЕРАПИЯ ПОСТСОЦИАЛЬНОГО УРОВНЯ

Прошлое — это не то, что с вами было. Прошлое — это то, что вы сделали с тем, что с вами было.

О. Хаксли

Однажды двое путников вышли в долгую дорогу. И вначале путь их пролегал по вполне обустроенной местности. Однако далее начались горы, и после прохождения первого перевала — самого трудного, потому что первый — один из них, перед тем, как пойти дальше, положил в свой заплечный мешок небольшой камень.

— На память — так он объяснил свои действия другому.

...К концу недели, после многих пройденных перевалов они вынуждены были сделать длительную остановку. Потому что тот, который когда-то взял на память маленький камешек, просто выбился из сил. Да и немудрено: его заплечный мешок был полон камней, нести которые было крайне тяжело.

— Скажи, а ты не мог бы их просто выбросить? — поинтересовался другой путник — тот, что все это время шел налегке.

— Что ты! — возмущенно воскликнул в ответ первый. — Это же моя память!

— Ну так и оставайся с ней, — как о чем-то уже давно решенном сказал первый. — А я пойду дальше. Один и налегке. Чтобы быстрее прийти к цели. А еще — не видеть, как твоя память сначала остановит тебя на пути, а потом и вовсе погубит...

Психотерапия личной истории, о которой пойдет речь дальше, исторически возникла довольно давно — еще в эпоху З. Фрейда. Именно он и его коллеги впервые обнаружили, что ранние (чаще всего детские) впечатления являются как бы базой, на которой основывается все последующее развитие человека. Своеобразным фундаментом, на котором стоит все здание его жизни. И если основа эта не очень удачная (фундамент ни к черту не годится), рассчитывать на удачную же жизнедеятельность какго не приходится (здание будет неустойчивым — или, в лучшем случае, не очень высоким).

До поры до времени — на досоциальном и социальном уровнях жизни — это нас особо не беспокоит. «Довлеет дневи злоба его» — резонно отмечали древние русичи. И мы привычно живем сиюминутным, поглощенные бурным течением мутноватой реки нашей экзистенции. Но с завершением социализации и подступлением зрелости, нерешенные прошлые задании (и неразрешенные Там и Тогда проблемы) все более властно вторгаются в нашу жизнь. Как невыученные уроки, несделанные контрольные работы и несданные экзамены. И мы привычно наступаем на одни и те же грабли, попадаем в повторяющиеся, но жутко неприятные ситуации, даже не подозревая о двух вещах.

Во-первых, о том, что эта самая Жизнь (а может, все же Бог?), как Великий Учитель, заставляет нас все-таки изучить и освоить непринятое и непонятое.

А во-вторых, о том, что корни этакого нашего Древа Зла находятся в прошлом, и бесполезно срубать одни только его ветки, а тем более, пристально их изучать, как это делают психологи. Ибо зло нужно выкорчевывать. Для чего и служат психотехнологии психотерапии личной истории, которые приводятся ниже.

4.1. РЕСУРСИРОВАНИЕ СОБСТВЕННОГО БЛАГОПОЛУЧИЯ

Люди могут быть счастливы даже тогда, когда не считают, что цель жизни — счастье

Дж. Оруэлл

Во избежание кривотолков сразу же объявляю во всеуслышание: а эта, и последующие психотехнологии мною не изобретены (хотя сама идея о выделении психотерапии личной истории в самостоятельную модальность моя и только моя). Однако я внес в них так много нововведений, что просто вынужден приводить не чьи-то, а свои собственные алгоритмы и описания, за что заранее прошу прощения у их авторов. Например, нижеописанная *психотехнология ресурсирования благополучия* имеет основой так называемую «метафору Антонова» /7/. Однако в ней — как, кстати, и в последующих — оказался (опять-таки, например) совершенно не выраженным момент, связанный с планированием будущего (и это — только одно, но пока главное). С тем, ради чего мы, собственно, и переделываем свое прошлое. Ибо занимаемся мы его редактирование не для того, чтобы потом создать (и, возможно, даже издать) облагороженную версию собственной жизнедеятельности. Но для того, чтобы в будущем жить эффективно и счастливо (а впоследствии еще и взлететь в Миры Горние, для которых все это прошлое — камни, балласт, цепи, не дающие нам даже оторваться от Земли...). Что я, разумеется, исправил — в соответствии с идеями ВВН и экзистенциального нейропрограммирования.

Однако при всем при том новом, что я внес в психотерапию личной истории, в основе ее была, есть и, по-видимому, долго еще будет так называемая модель SCORE классического НЛП. Согласно которой в настоящем (см. рис. 28) мы имеем дело с неким весьма неприятным симптомом (Simptom). Каковой должны заменить куда более приятным (а в чем-то даже и полезным). Результатом (Outcome). Который (результат), в свою очередь сменится ну очень даже хорошим Эффектом (Effect), т. е. *внешними* последствиями ваших *внутренних* изменений. Но произойдет это тогда (и только тогда), когда (и если) мы обнаружим Причину (Cause) нашего Симптома: чаще всего некую психотравму, послужившую основой для последующего бессилия в соответствующей его области. Каковая случилась только потому, что Там и Тогда вам не хватило каких-то Ресурсов, которые у вас ну очень даже присутствуют Здесь и Теперь. И если вы (святое дело!) внесете их в область Причины, ваше Бессознательное само, безо всякой вашей помощи и объяснений, переделает все наилучшим образом.

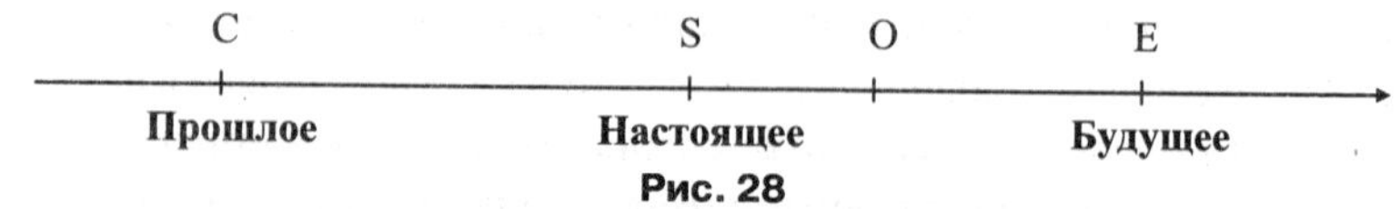

Рис. 28

Начинается психотерапия личной истории, как правило, с размещения на полу Обобщенной Линии Жизни посредством *психотехнологии создания ОЛЖ.*

Выделите свободное (по прямой) пространство размером не менее 3–4 метров (чуть позднее вы поймете, почему). Встаньте как бы сбоку этого самого свободного пространства и представьте, что на полу (или на земле, если работаете «на природе») проходит воображаемая Линия Вашей Жизни. Определитесь, где относительно вас будет находиться прошлое (слева или справа), а где — будущее (справа или слева), после чего где-то поблизости от центра вашей линии определите точку настоящего и поместите на нее так называемый маркер (в качестве оного годится все что угодно, хотя я обычно работаю с листками для заметок, но не обычными, а на клею). Теперь, глядя в свое прошлое, также отметьте точку рождения подобным уже использованному или иным маркером. После всего этого обратите свой взор в будущее, представьте, что оно для вас длительно, если не бесконечно. И — осуществите его временную разметку, положив маркеры на точки, которые, по вашему мнению (а лучше — по мнению вашего бессознательного), соответствуют месяцу, трем месяцам, полугоду и году.

Ну а далее вам следует сделать нечто ну очень важное но, к счастью для вас, по четкому, хотя и очень длинному алгоритму.

1. *Используя ранее приведенные инструкции, создайте на полу Обобщенную Линию своей Жизни. Не забудьте осуществить временную разметку будущего.*
2. *Определите* ***Симптом*** *(проблему), с которым (ой) вы будете работать. В контексте модели «Мерседес-SK» это может быть нечто негативное, неадекватное или просто проблемное, связанный с вашими реакциями на окружение; состояниями; способами поведения и действий; убеждениями; а также образами Самого Себя. А в плане модели «Звезда благополучия» вы вправе работать с любым неблагополучием в области здоровья (душевного, психологического и/или физического); взаимоотношений; любви/секса; работы и денег. Поскольку психотехнологии работы с личной историей относятся к «другой половине» техник нейропрограммирования (в контексте концепции М. Зинка и Д. Маншоу), вы можете осуществлять психотерапию весьма обобщенных и недифференцированных паттернов.*

3. *Встаньте на точку настоящего (далее — «ассоциируйтесь с настоящим на ОЛЖ») и репрезентируйте свою проблему или неблагополучие, по возможности используя полный ее (его) образ или VAKD. То есть посмотрите мысленные картинки своего «негатива» (V), скажите себе и миру сопутствующие или соответствующие ему слова (A), ощутите это проблемное в теле (K) и даже создайте по его поводу некое обобщение (D).*
4. *Теперь, продолжая оставаться ассоциированным с настоящим на Обобщенной Линии Жизни, оцените реальный уровень проблемности вашего неблагополучия по десятибалльной системе (0 = min; 10 = max). Если (такое бывает только иногда) вас совсем уж захлестнула безнадега и вы не можете осуществить оценку, сойдите с ОЛЖ, как бы оставив там образ самого себя, и диссоциированно оцените проблемность «стоящего на ней «бедолаги» — вас, любимого.*
5. *Сойдите с Обобщенной Линии Жизни и определите, что вы хотите взамен вашей проблемы или неблагополучия, добиваясь при этом вполне конкретных репрезентаций посредством вопроса «Как я это узнаю?» Например, если вы хотите быть просто здоровым (а это значит никаким), задавайте вопрос «Как я про это узнаю?» до тех пор, пока «просто здоровы» не конкретизируется, например, до «с прекрасно, мощно и ритмично работающим сердцем и нормальным артериальным давлением».*
6. *Возьмите в руку маркер, пройдите (сбоку ОЛЖ) немного в будущее, после чего, осознав, что сейчас вам надлежит поместить маркер на точку достижения (вами же)* ***Результата****, следуя исключительно интуиции и интенциям (желаниям, побуждениям) из вашего Великого Бессознательного, положите этот самый маркер туда, куда захочет это сделать ваша рука — разумеется, в будущее.*
7. *Используя данные временно́й разметки Обобщенной Линии Жизни, оцените, на какой срок отнесло бессознательное достижение желаемой вами цели. И даже если этот срок вас не устраивает, примите его как данность.*

8. *Встаньте рядом с маркером результата (сбоку ОЛЖ) и с открытыми или закрытыми глазами (это уж как нравится), как бы со стороны (диссоциированно) сначала представьте (V), потом услышьте (A), далее ощутите, может быть, даже мысленно «пощупав», (K), а далее обозначьте неким логическим ярлыком (Д) Образ Самого Себя, достигшего избранной цели (искомого результата).*
9. *Ассоциируйтесь с этим образом (как бы войдите, вступите или влезьте в него на Обобщенной Линии Жизни) и постарайтесь ощутить полный VAK результата, дабы понять, как это здорово стать и быть таким: человеком, достигшим желаемого.*
10. *Не «выходя из образа», «представьте себе, что через некоторое время после достижения вами Результата ваша жизнь чудесным образом изменится. Положите маркер на ту точку будущего, где, с точки зрения вашего бессознательного, эти изменения будут заметны и существенны, т. е. на точку* ***Эффекта****.*
11. *Оцените по десятибалльной системе (0 = min; 10 = max), насколько достижимым является для вас этот результат. Лучше всего это делать диссоциированно, т. е. сойдя с Обобщенной Линии Жизни, холодно и отстраненно.*
12. *Вернувшись на ОЛЖ, пройдите к точке Эффекта, встаньте на ней и представьте полный VAKD, т. е. то, что вы будете видеть (V), слышать (A), ощущать (K) и думать (Д) Там и Тогда. Попробуйте довести радость Эффекта до уровня «мурчания»: так, чтобы вы, как кот или кошка, аж замурлыкали от удовольствия.*
13. *Шагните назад, в точку Результата, оставив перед собой Образ себя, наслаждающегося Эффектом. И, используя этот образ как «актера, внутреннего видео», проверьте экологию (т. е. то, насколько экологично для вас быть таким). То есть оцените, не осложнит ли достигнутый вами Результат вашу же собственную жизнь в таких важнейших ее областях человеческого благополучия, как*
    - *здоровье*
    - *взаимоотношения*

– любовь/секс
– работа и
– деньги

Для этого представьте, как этот образ будет действовать в соответствующих ситуациях.

14. *Если «мурчание» не умолкло, а с экологией все в порядке, вернувшись в настоящее, сойдите с Обобщенной Линии Жизни, займите стул или кресло напротив вашего Здесь и Теперь (вне линии), запаситесь бумагой и карандашом и ответьте себе на следующий вопрос:*

«Что именно и конкретно (какие Ресурсы) мне необходимы и достаточны для того, чтобы достичь этого результата?!»

Все пришедшие на ум ресурсы, которые можно отнести к объективным (деньги, время, связи и т. д.), пока (или совсем) отложите в сторону. Нас сейчас интересуют ресурсы субъективные (типа уверенности в себе, спокойствия, оптимизма и т. п.).

15. *Выберите из списка ресурсов самый важный (для чего воспользуйтесь «тестом Волшебника», согласно которому вам надобно представить, что, как всегда в сказках, исполнимо только одно желание», т. е. достижим лишь один ресурс). С него и начинайте.*
16. *Закройте глаза и задайте своему Бессознательному следующий вопрос:*

«Если бы искомый ресурс был бы цветом, то какой цвет использовало бы мое бессознательное для того, чтобы закодировать этот ресурс для его размещения в прошлом и будущем?!»

Спокойно дождитесь ответа — обычно он приходит в визуальной модальности (V), но иногда мы его как бы слышим (А) подсказкой из бессознательного. Учтите, что цвет может быть не только чистый, но и смешанный из нескольких.

17. *Теперь задайте уже другой вопрос: «В каком именно виде — порошка или аэрозоли — лучше всего осуществить ассоциирование этого ресурса с Обобщенной Линией моей Жизни (то есть ввести его в нее) ?» Как вы, наверное,*

поняли, ОЛЖ здесь рассматривается как ну очень большая ***Причина*** *вашего Симптома.*

18. *Продолжая оставаться вне линии (на стуле), представьте, что с другой стороны Обобщенной Линии Жизни находится большой аэродром, на котором огромный грузовой самолет, что называется, «под завязку» грузится порошком или аэрозолью (выбранного бессознательным цвета) искомого Ресурса. Загрузка заканчивается, самолет покидает аэродром и летит в самое начало вашей жизни, где как бы даже развернувшись носом к настоящему, зависает над точкой вашего рождения (если хотите, то можете ассоциироваться с самолетом, представив, что вы сидите в его кабине в качестве пилота или члена экипажа). Грузовые люки распахиваются, и на вашу ОЛЖ начинает сыпаться (порошок) или литься (аэрозоль) необходимый Ресурс, густо-густо засыпая/заливая момент вашего появления на свет: одну из главных психотравм в жизни любого человека. Затем самолет сам собою начинает двигаться дальше и в результате как бы покрывает Ресурсом все пространство Вашей жизни. Сначала Прошлое, а потом и Будущее, где он, пролетев над настоящим и ближайшим грядущим, как бы скрывается в некой дымке, продолжая, однако, ресурсировать будущее. Дождитесь, пока самолет не вернется и не приземлится на аэродроме.*
19. *Теперь вставайте со стула (это если вы не летали в кабине); сбоку Обобщенной Линии Жизни идите к точке рождения, ассоциируйтесь с ней (вступив на линию) и как бы даже замирайте, начиная вбирать в себя ваш Ресурс, и наполняясь им, как губка водой. Дождитесь некой команды (типа «готово») и только после этого медленно, не торопясь, идите по ОЛЖ, одновременно позволяя вашему бессознательному трансформировать всю вашу жизнь в свете получаемого Ресурса, т. е. меняя ее на ту, которой она могла бы быть, если бы этот Ресурс был у вас Там и Тогда.*

Дойдя до настоящего, представьте, что над вашим будущим (на его Обобщенной Линии) как бы протянут ажурный мостик, который не мешает вам ощущать ресурс, но не дает насту пать на грядущее. И пройдите в будущее, но ровно настольк чтобы убедиться, что и в нем искомый Ресурс присутствует и «работает».

20. *Проделайте пункты 16–19 для всех других ресурсов.*
21. *Закончив, оцените, используя две знакомые вам десяти балльные оценки;*
   – *то, насколько проблемным теперь стало ваше неблаго получие (уровень проблемности Симптома)*
   – *то, насколько достижимым теперь стал Результат потенциальное благополучие.*

Если надо, определите и введите дополнительные ресурсы после чего поблагодарите свое бессознательное за хорошую работу, не забыв, однако, оценить достигнутые изменения уровне своего благополучия...

4.2. УСТРАНЕНИЕ ОГРАНИЧИВАЮЩИХ РЕШЕНИЙ

Миги наслаждения можно сосчитать но нельзя рассчитать

Дж. Огилви

С помощью данной психотехнологии можно (и очень лег ко) избавляться от когда-либо принятых неверных решений (а также и от ограничивающих убеждений). В самом широком смысле этого (решения) слова: от неэкологичных взглядов и убеждений по поводу себя и мира до, например, табакокурения или употребления алкоголя, и даже принятия решения заболеть Да — не удивляйтесь: в очень большом (подавляющем!) коли честве случае болезнь начинается, когда человек — как правило бессознательно — принял решение ответить заболеванием на какую-то проблему или ситуацию, возникшую в жизни. Точнее решение это приняло ваше бессознательное как бы в ответ на его (человека) вопль или просьбу о помощи. Весьма подробно данная проблема психологической заболеваемости раскрыта у меня в других книгах. Однако здесь все же не премину напом нить о том, что именно болезнь зачастую является великолепным пособом либо ухода от реальных проблем жизнедеятельности, ибо извращенным их решением…

Будучи однажды принятым, любое наше решение превращагся в некое *предписание*, согласно которому мы и будем далее существлять свою жизнедеятельность. Поэтому и задолго до соданния экзистенциального нейропрограммирования и я предлагал лиентам задаться вопросом: какое-такое решение, убеждение, екий принцип или внутреннее правило мешает вам стать и быть лагополучным? Если ничего не всплывало, то конкретизируйте опрос до отдельной сферы или направления благополучия. Нааример, если мы работаем над здоровьем, то переформулировали ышеприведенный вопрос в плане решений, мешающих стать доровым. И обычно всплывало почти даже судьбоносное (и очень редоносное). Нечто вроде предписания «Не будь здоровым!» или беждения «Здоровье — это не про меня…».

Однако нынче в ЭНП мы используем другой способ. Так то просто возьмите чистый лист бумаги и напишите на нем ледующую фразу:

Причины, по которым я не могу жить так, как я могу и очу это__________»

После чего в так называемом режиме прохудившегося мешка апишите на этом листе (лучше — в столбик) все, что взбредет в олову. А закончив писать, проанализируйте то, что получилось, точки зрения решений и предписаний, которые оказывают а вашу экзистенцию разрушительное или ограничивающее оздействие.

А дальше все довольно-таки просто. Во-первых, вы сами ожете без всякой ОЛЖ вспомнить момент принятия решения. А, о-вторых, как бы даже начав подготовку к последующей, более ложной работе с психотравмами, ею все-таки воспользоваться.

Станьте на Линию Жизни в точке настоящего (и спиной к рошлому). «Извлеките на свет божий» свое решение, правило, редписание или убеждение и ассоциируйтесь с ним любым бразом: от *ощущения* в теле до восприятия *ярлыка*, например, а лбу. Начните медленно пятиться в прошлое, стараясь не пропустить момент, когда решение это вдруг исчезнет (ощущение езко ослабится, а ярлык станет чистым или отпадет). И тогда все, что осталось сделать, так это зайти за полчаса до момент возникновения этого самого решения, правила, предписани или убеждения и все *перерешать* с помощью *психотехнологи трансформации ограничивающих или ослабляющих решений убеждений.* Делается она так.

1. *Четко и точно определите, с чем именно вы будете ра ботать. Напоминаю, что предметом трансформации данной психотехнологии являются (в основном) четыр класса ограничивающих решений:*
   - *«Я не могу» (например, быть здоровым; вступать в нор мальные взаимоотношения; любить и/или заниматьс сексом; с удовольствием работать; зарабатывать и/ил получать деньги — напомню, что здесь и далее я исполь зовал элементы модели «Звезда благополучия».*
   - *«Я должен»/»Мне необходимо» (например, быть больны или заболеть/болеть; проявлять агрессивность во взаимо отношениях; требовать, а не давать любовь; работат на износ и почти безвозмездно; быть бедным).*
   - *«Это правильно, необходимо и/или закономерно» (на пример, болеть после сорока; терять нормальные взаи моотношения со взрослыми детьми; отказываться от секса по достижении климакса; работать, не требу вознаграждения; зарабатывать не более, чем другие).*
   - *«Теперь я всегда буду» (болеть, пить и/или курить; быт обманутым во взаимоотношениях; несчастлив в любви и или импотентом в сексе; обязанным работать тяжело неинтересно; обреченным на бедность).*
2. *Воссоздайте на полу Обобщенную Линию своей Жизни.*
3. *Встав на точку настоящего (т. е. ассоциировавшись ОЛЖ), оцените, насколько вы верите в свое «Я не могу» — «Я должен», «Это правильно...» и/или «Теперь я всегд буду» по десятибалльной системе (min = 0; max = 10). Есл ваша вера окажется равной четырем и менее баллам, н занимайтесь ерундой, а поработайте с чем-то другим действительно важным.*
4. *Сойдите с линии, присядьте на стуле мета-позиции строго объективно обдумайте то, что, в полном соот*

ветствии с концепцией «убеждение (решение) — это самооправдывающееся пророчество и самореализующееся предсказание» (П. Вацлавик), данная укоренившаяся идея/сделанный выбор внесла в вашу жизнь. Если кажется, что что-то хорошее, воспользуйтесь психотехнологией разблокирования фиксированных идей с помощью логического квадрата, заполнив четырехклеточную матрицу следующего вида:

Что случится, если эта идея верна	*Что случится, если эта идея не верна*
Что не случится, если эта идея верну	*Что не случится, если эта идея не верна*

Главное здесь — принять решение избавиться от прежнего решения, (убеждения) и/или заменить фиксированную идею гибким принципом.

5. *Взяв в руки маркер, прогуляйтесь в прошлое рядом с Обобщенной Линией своей Жизни, позволив своему бессознательному найти точку принятия данного решения (ТПР). Обычно это удается девяти из десяти клиентов, но если вы попали в 1/10 «неподдающихся», ничто не мешает вам проделать вышеописанное. А именно ассоциироваться с настоящим (встав на ОЛЖ в соответствующей точке линии) вспомнить (Д), ощутить (К), а если получается, то еще и увидеть (V) и услышать (А) свое решение (его формулировку, хотя главное здесь именно гнет решения), после чего медленно, спиной пройти в прошлое до точки, когда этот гнет внезапно исчезнет, а сама идея покажется довольно-таки глупой. Затем, чуть вернувшись назад (т. е. вперед по ОЛЖ), определить и отмаркировать ТПР, после чего попробуйте вспомнить ситуацию, в которой все это произошло.*
6. *Определите, какое-такое НОВОЕ (другое) решение или идею вы бы хотели принять или иметь ВМЕСТО того, какие есть. Напоминаю, что эти решение или идея вовсе не обязательно должны быть прямым «перевертышем» того, что было, и, конечно же, просто не имеет права*

содержать в себе частицу «не», каковую, как известно, бессознательное не видит и не читает. Например, при работе с курением вместо давнишнего решения «Теперь я всегда буду курить» правильным новым решением будет не «Теперь я никогда не буду курить», а, например, «Я останусь свободным от никотиновой заразы и дышащим только свежим воздухом» (не забывайте, что решение вы будете как бы заново вводить в прошлое).

7. *Теперь спокойно и как бы над Обобщенной Линией собственной Жизни вернитесь в прошлое (можете для этого ставить ноги с двух сторон, не заступая на ОЛЖ), пройдите за Точку Принятия Решения (дальше в прошлое), причем ровно настолько, чтобы ощутить, что здесь вы свободны от решения или идеи, ибо их принятие теперь есть дело будущего.*
8. *Вспомните формулировку вашего нового решения или идеи и создайте хорошую его VAKD-репрезентацию. Например, представьте в своих руках плакат с текстом этого решения или идеи (D); мысленно наденьте футболку, максимально передающую цветом и прочим его (их) смысл (V); ощутите это решение где-то у себя в теле (К — не обязательно в голове) и начните мысленно его скандировать или даже петь (А). И, делая все это, «приземлитесь» на Обобщенную Линию Жизни (ассоциируйтесь с ней): примерно за пять минут до начала ситуации, связанной с принятием решения, после чего быстро пройдите через нее.*
9. *Снова «взлетите», вернитесь в прошлое и, как бы «зависнув» над ситуацией принятия решения, посмотрите, что там сейчас происходит. Если то же, что и было когда-то, пусть даже в меньшей степени, повторите описанную в пункте 8 процедуру до тех пор, пока не обнаружите, что «решательная» ситуация сама собой изменилась («самопереписалась»). Например, вместо того, чтобы взять в ней в руку ту самую сигарету, которая сделала вас курильщиком, вы ее выбросили в урну.*
10. *После того, как ситуация, как по волшебству, кардинально изменилась, ассоциируйтесь с собой в ее (ситуации) начале*

(как бы войдите в себя Там и Тогда), после чего, пребывая уже «в собственной шкуре», оцените:

- *насколько властно над вами прошлое решение или идея (min = 0; max = 10)*
- *насколько вы теперь верите в новую идею и/или решение (min = 0; max = 10).*

11. *Если то, что обнаружилось, вас не устроит (2–3 в первом замере и 7–8 во втором может считаться вполне приемлемым), проделайте процедуры, описанные в п. 8, необходимое количество раз, после чего, завершив отказ от старого и принятие нового, не торопясь, лицом к настоящему вернитесь из прошлого в Здесь и Теперь, еще раз проверьте свою решимость и поблагодарите свое бессознательное за хорошую работу.*

4.3. РЕИМПРИНТИРОВАНИЕ КРИТИЧЕСКИХ ИНЦИДЕНТОВ

> Бабочка считает не месяцы, а мгновения, и у нее всегда достаточно времени
>
> Р. Тагор

Не пугайтесь мудреного названия — все здесь, на самом деле, достаточно понятно (если, конечно, разобраться). «Реимпринтирование» значит, что вас надо «разимпринтировать», т. е. как бы «расколдовать» от чего-то ну очень плохого, что произошло когда-то в прошлом. Где в результате попадания в какую-то ну очень нехорошую ситуацию вы оказались мгновенно («импринтирование» буквально значит «впечатывание») «заколдованы». А «критический инцидент» как раз и является обозначением этой самой нехорошей ситуации, иначе именуемой (в своих последствиях) психотравмой.

В психотерапии подобная работа относится к, так сказать, «классике жанра». Потому что, точно начиная с «дедушки Фрейда», а, скорее всего, и задолго до него «душелюбы» и «людоведы» всех стран и народов занимались именно этим. Поиском той причины (критического инцидента: оскорбления, обиды, избиения — словом, психотравмы), которая породила ныне присутствующий симптом. Обостренную реакцию на какие-то условия и обстоятельства. Неприятное и, вроде бы, даже беспричинное состояние. Глупое и неэффективное поведение, на деле приносящее только вред. Ограничивающее или ослабляющее убеждение: о себе, других, мире и Боге. И (или) совершенно некуда не годящийся Образ Самого Себя: малоэффективного и несчастного.

Делали они это, однако, не очень умело. И уж, во всяком случае, малопродуктивно. Во-первых, потому, что считали критический инцидент настолько запретной темой, что вместо того, чтобы сразу взять его «за ушко да на солнышко», предпочитали пару лет ходить вокруг да около (с негативными последствиями для материального благосостояния клиента, но позитивными — психотерапевта). Во-вторых, оттого, что были уверены, что одного только *понимания* (воспоминания) этого самого критического инцидента вполне достаточно, чтобы от него навек избавиться. Что глупо до невообразимости, ибо, например, понять, что машина не едет, потому что у нее неисправен карбюратор, который когда-то давно был залит некачественным бензином, вовсе не значит, что этот карбюратор сам собой отремонтируется...

Пришедшее на помощь классической психотерапии НЛП привнесло в данную работу два важных момента. Понятие *линии времени* (у нас ОЛЖ), что в итоге позволило за 10–15 минут находить то, что психоаналитики искали годами (критические инциденты). И идею необходимости *ресурсирования* психотравматического опыта, что в результате давало ему удивительную возможность: как бы само собой перестроиться в нечто вполне даже удобоваримое.

А далее пришел я и внес в базовую процедуру некие существенные уточнения, которые (вместе с самой *психотехнологией реимпринтирования критических инцидентов*) представлены ниже.

1. *Определите неэкологичную реакцию на окружение; негативное состояние; неадекватный способ поведения; ограничивающее (ослабляющее убеждение или «дефектный» образ Самого Себя, с которыми вы собираетесь работать*

и которые, по мнению вашего бессознательного, пришли откуда-то из прошлого.

2. *Создайте или воссоздайте на полу Обобщенную Линию своей Жизни.*
3. *По уже известной вам схеме ассоциируйтесь с Симптомом, определите Результат (и так же с ним ассоциируйтесь) и как следует помечтайте об Эффекте. Не забудьте оценить по десятибалльной системе (min = 0; max = 10) то, насколько вам сейчас этот результат доступен.*
4. *Вновь ассоциируйтесь с Симптомом и медленно, спиною идите по линии в прошлое, отмечая маркерами*

– *все «всплески» (т. е. внезапные усиления) репрезентации этого самого Симптома*
– *точку, после которой он внезапно исчез.*

5. *Поставьте стул напротив этого первого критического инцидента (самого раннего) и позвольте вашему бессознательному напомнить, что именно там произошло. Если сразу и не вспомнится, инициируйте воспоминание уточняющими вопросами типа*

– *сколько вам там лет (примерно)*
– *это происходило летом, осенью, зимой или весной*
– *то, что там случилось, происходило в помещении или на улице*
– *вы были там одни или присутствовал кто-то еще*
– *этот кто-то просто присутствовал или был активным участником происходящего (например, обидчиком или насильником).*

Если инцидент все же не вспомнится, просто представьте себя и (если они есть) других перед подступающей неприятностью, каковая в этом случае будет неким «черным ящиком».

Если вы имеете дело с психотравмой, сразу приступайте к пункту 10.

6. *В случае же импринта (особенно — вызванном неумелыми и/или неуместными действиями родителей, друзей, близких родственников или прочих Значимых Других) подойдите поближе к Обобщенной Линии Жизни (в точке «все еще*

хорошо») и объясните им, что вы пришли из будущего для того, чтобы вмешаться в чудовищную несправедливость и глупость, которую сейчас они (этот человек-обидчик) совершат и которая самым худшим образом скажется как на вашей, так и на его (карма!) собственной жизни. Спросите его, согласится ли он теперь, зная о последствиях (опишите ему их — красочно и подробно) поступить совершенно по-другому: экологичным для себя и вас тогдашнего образом. Если да, работать вам будет значительно легче, если же нет, мы все равно с этим справимся.

7. *Если Обидчик согласился поступить по-другому, оговорите ресурсы, которые ему необходимы для того, чтобы, действуя экологично, он, тем не менее, не «наступал на горло собственной песне» (обычно это Любовь и Понимание), репрезентируйте эти ресурсы и передайте их ему любым из ранее описанных способов.*
8. *Если же нет, самостоятельно определите ресурсы, мысленно поставьте происходящее на «Pause» (как в видеомагнитофоне или DVD-проигрывателе), после чего опять-таки репрезентируйте ресурсы и передайте их Обидчику, но уже с помощью так называемой метафоры «Психиатрия», т. е. ну очень большим шприцем и в самое мягкое место.*
9. *Если Обидчик не исчез (а такое бывает), а просто сильно изменился, мысленно нажмите кнопку «Play» и посмотрите:*

– *если ситуация вспомнилась, то как теперь она развивается (обычно уже после ресурсирования Обидчика там все происходит и проще, и легче, и менее больно);*
– *если вы так и не смогли вспомнить ситуации, оцените то, каким вы теперь выглядите после «черного ящика» — насколько более спокойным и даже умиротворенным.*

10. *Теперь вернитесь назад, в момент «все еще хорошо (а если вы работали с психотравмой, где не было никакого Обидчика, то с этого вы и начните) и объясните самому себе более молодому, что вы пришли из его будущего для того,*

чтобы уберечь от крупной неприятности, которая как раз сейчас произойдет и которая приведет к очень неприятным последствиям (расскажите, каким). Опишите то, что сейчас произойдет, после чего спросите о тех ресурсах, которые необходимы вашему молодому «Я» для того, чтобы эта ситуация не стала проблемой, а прошла легко и безболезненно.

11. *Репрезентируйте эти ресурсы и передайте их себе молодому в моменте, когда все еще было хорошо (можете опять-таки использовать воображаемую кнопку «Pause»), после чего «запустите» ситуацию (нажмите на «Play») и посмотрите, что получится.*
12. *Сделайте это столько раз, сколько необходимо для того, чтобы психотравматическая ситуация сама по себе стала беспроблемной, а вы, молодой, из Проигрывающего (в ней) стали Выигрывающим.*
13. *Когда и состояние вашего молодого «Я», и условия/обстоятельства изменившейся ситуации вас полностью устроит, встаньте на Обобщенную Линию собственной Жизни, ассоциировавшись с собой Там и Тогда и в точке, когда все еще было хорошо (как бы войдя мысленно в собственное тело), еще раз проверьте собственную «беспроблемность» и «комфортность» ситуации, после чего медленно пройдите из прошлого в настоящее (лицом вперед), позволяя своему бессознательному трансформировать память (запись) вашей жизнедеятельности (тот самый опыт, который есть не то, что с вами было, а то, что вы сделали с тем, что с вами было — О. Хаксли).*
14. *По завершении «прохода» (если надо, сделайте его несколько раз), проверьте, как теперь воспринимаются последующие за первым, отмаркированные вами на основании «всплеска» Симптома критические инциденты, и, нежели в том есть необходимость, проделайте с каждым из них процедуры, описанные в пп. 6–13.*
15. *Закончив, оцените, насколько теперь вам доступен желаемый Результат, и, если уровень этой «доступности» вас не устроит либо*

– *продолжайте работать с этим Симптомом, имея дополнительные (как правило, еще более ранние) критические инциденты*
– *задав вопрос: «Что еще мешает мне обрести искомый результат?» определяйте другой препятствующий симптом и начинайте с ним работать.*

Если же все в порядке, поблагодарите свое бессознательное за хорошую работу и вернитесь с ОЛЖ в реальную жизнь.

4.4. ЭНП-РЕБЕСИНГ

Ребенок рождается «незаконченным»
А. Шутценбергер

В основе данной психотехнологии постсоциального уровня лежит простое, не всегда принимаемое широкой общественностью, но абсолютно разделяемое всеми грамотными психологами и психотерапевтами положение. Согласно которому рождение есть суть первая и, пожалуй, самая глубокая психотравма в жизни любого человека. И новорожденный вовсе не оповещает радостным криком мир о своем рождении — на самом деле он просто вопит от ужаса. Потому что только что…умер (рождение младенца суть смерть для плода). И абсолютно не понимает, на каком таком свете оказался и находится.

Именно поэтому, в самых различных направлениях психотерапии (а более всего — в так называемом ребефинге (см., например, /18/), устранение травмы рождения рассматривалась как весьма важная задача. А все потому, что именно она как бы закладывала основу для всех последующих психотравм. И, будучи устраненной лишает все эти последующие критические инциденты надежного основания — этакого обоснования в прошлом. Отчего часть из них просто рассыпаются как карточные домики. А те, которые не рассыпались, как минимум, заметно отличаются…

Методы, до недавно времени используемые для «второго рождения» (буквальный перевод слова «ребефинг»), к сожалению, не отличались ни простотой, ни краткостью. Однако мне удалось создать *психотехнологию ЭНП-ребефинг*, которая позволяет осуществить этот процесс просто, изящно и эффективно — хотя и не без известного драматизма, приводящего к выделению соленой влаги из глаз и печального хлюпания носом…

Нижеприведенный алгоритм работы можно выполнять как с использованием ОЛЖ, так и просто в воображении…

1. *Определите некую Главную Проблему своей жизни, которую вы хотели бы решить. Это может быть как что-то, связанное с привычными ипостасями вашей жизни типа здоровья, взаимоотношений, любви/секса, работы и денег, так и нечто экзистенциальное (из разряда «Быть или не быть?» и иже с ним).*
2. *Выявите, чего вы хотите вместо нее — Главной Проблемы (Эффект) и каким (или кем) должны стать (Результат), чтобы достичь этого желаемого.*
3. *Мысленно представьте перед собой некое место в вашем будущем, где вы станете и будете таким, который сможет решить эту проблему и достичь желаемого, т. е. точку Результата.*
4. *Ассоциируйтесь с ней и опишите, не жмет ли вам ваш новый «костюм», сиречь будущий Образ Себя (т. е. проверьте внутреннюю экологию).*
5. *Если все в порядке, то из этой позиции — будущего Результата — определите далее в будущем точку Эффекта. Войдите в нее и опять-таки проверьте, но уже экологию внешнюю: не навредите ли вы себе, другим, миру и Богу, обретя искомое и желаемое. Если нет, то позвольте себе почувствовать мотивирующий энтузиазм по поводу того, как там все будет здорово.*
6. *Теперь вообразите за своей спиной прошлое и где-то там, вдали (но не в дурной бесконечности...) найдите точку вашего рождения.*
7. *Мысленно вылетите из своего тела и, скользнув в прошлое, станьте прямо перед этой точкой спиной к настоящему.*
8. *Теперь аккуратно вообразите, что вы находитесь перед дверью, порталом, завесой, пеленой или чертой, отделяющей вас от времени, когда вы еще не родились. Попро-*

буйте услышать голоса акушеров, стоны тужащейся мамы, а после ваш первый крик — вовсе не радостный, но, безусловно, громкий.

9. *Дождитесь момента, когда дверь откроется (портал заработает, завеса отодвинется, пелена разойдется, а черта пересечется) и некто в белом (вовсе не обязательно акушерка — может, это будет ангел...) вынесет вам вас, новорожденного. Маленький комочек плоти, который только что умирал, чтобы родиться. И сейчас испуганно вопит или даже как-то затравленно молчит, не понимая, куда это он попал и что его здесь ждет.*
10. *Возьмите это Дитя — Внутреннего вашего Ребенка — на руки и любым способом (сюсюканьем, укачиванием, поглаживанием и т. д.) успокойте.*
11. *Успокоив, начните говорить этому новорожденному все слова, которые вы хотели бы услышать в свой адрес в момент рождения. Подойдет все, что само лезет в голову, но, разумеется, только позитивное. «Я люблю тебя». «Здесь интересно и здорово». «Ты желанный-долгожданный». «Ты будешь счастлив. Все будет хорошо». И т.д. и т. п. Говорите (разумеется, мысленно) все это до тех пор, пока младенец на ваших руках вам не поверит.*
12. *Теперь объясните ему, что он — это вы, а вы — это он, только подросший. Что ваша жизнь удалась и сладилась, хотя и не везде и во всем (вспомните Главную Проблему, с которой собирались работать — но если вместо нее внезапно всплывет другая, работайте с ней). А все потому, что папа, мама и прочие родители далеко не всегда и во всем вам помогали. Отчего и случилось так, что по жизни вам достались не столько пироги и пышки, сколько синяки и шишки. А вот ему, малышу, повезет. Потому что вы станете для него тем, кем не стали для вас пресловутые родители: Ангелом-хранителем, который поможет разрешить буквально все, все понять и все расставить по местам. Но сделаете вы это не безвозмездно. Потому что, исправив его жизнь, вы автоматически исправите жизнь свою.*

13. *Мысленно, но очень нежно и аккуратно «подрастите» вашего Внутреннего Ребенка до возраста, в котором он стал ходить, после чего возьмите его за руку и просто идите по его/вашей жизни, справляясь со всем, чем надо было справиться, наилучшим образом. При этом неважно, будете ли вы созерцать происходящее — важно то, что как бы ставши ресурсом (ну очень большим), вы и переделаете, и переосмыслите то, что было неэкологичным: на бессознательном уровне.*
14. *Дойдя до настоящего (рядом с собой в настоящем), посмотрите на своего подросшего (но вовсе необязательно до вашего реального возраста) Внутреннего Ребенка и определите, доволен ли он в этом Здесь и Теперь. Если нет, повторите пп. 6 и 7.*
15. *Если да, примите себя-сопровождающего и повзрослевшее Дитя в свое тело. Откройте глаза или посмотрите на что-то ну очень внимательно (это нужно для переключения), после чего возвращайтесь к точке рождения.*
16. *Вновь примите себя новорожденного из рук (если это руки) существа в белом, с удовольствием отметьте, что это уже не прежний хилый полуэмбрион, а вполне даже здоровенький младенец, после чего посадите его рядом с собой и сообщите четыре великие истины, которые позволят сделать его/вашу жизнь эффективной и счастливой.*

- *«Ты в порядке»;*
- *«Другие в порядке»;*
- *«Мир в порядке» и*
- *«Бог в порядке».*

Неважно, что сами вы в них не очень-то верите (хотя для постсоциального уровня это-то как раз и несвойственно) — важно, чтобы поверил ваш Внутренний Ребенок. Поэтому приводите любые аргументы. Убедительно, как, например, Госдеп США, врите. Но не идите дальше, пока не получите от новорожденного дитя подтверждения о том, что он во все это поверил.

17. *Предложите Внутреннему Ребенку, как бы направляемому (и даже осеняемому) этими четырьмя благородными*

истинами, уже самому и даже вроде бы за вас (самостоятельно) исправить его/вашу жизнь. Постарайтесь при этом все-таки поспевать за ним, идущим по ОЛЖ.

18. *Опять-таки примите в себя и того себя, который сопровождал Дитя по жизни (точнее, еле поспевал за ним), и самое это ну очень повзрослевшее и усилившееся Дитя, после чего, сделав короткое переключение, отправьтесь опять к началу своей жизни.*
19. *Не удивляясь звукам оркестра и даже какому-то там многолюдью (такое бывает, но не везде), дождитесь, пока вам вынесут ну совсем уже крепкого и телом и духом малыша. После чего «внырните» в его тело и уже в нем, спокойно и по-хозяйски пройдите по собственной жизни до момента настоящего. А там оцените, насколько теперь для вас близок Результат и вероятен Эффект...*

4.5. «ВОЛШЕБНЫЕ РОДИТЕЛИ»

> Счастье — это воображаемое состояние, которое... обычно приписывается взрослыми детям, а детьми — взрослым
>
> Т. Шени

Это — действительно волшебный подарок для всех, кому не повезло с папой и мамой. То есть всем тем, кто в результате их благих, но совершенно не согласованных с вами намерений и действий, так и не смог воплотить, извините за высокопарность, Божий промысел. Подлинный, на небесах задуманный, но на Земле не реализованный сценарий собственной жизни. Единственную дорогу, по которой им следовало идти. Ту и только ту жизнедеятельность, ради участия в которой (и получения уроков из которой для) они и были направлены в земную юдоль... Но в силу негативного воздействия родительского и иного программирования явственно свернули не туда. И теперь рискуют стать Повторялами — т. е. теми, кто будет вынужден снова возвращаться в эту реальность. Дабы выполнить предписанное и понять предназначенное...

Однако и это можно исправить. Буквально одним махом переписав свое прошлое, как если бы оно было всего лишь черновиком. Чтобы вернуть себя Себе. И превратить дорогу в Путь. Завершив постсоциальный и вступив в надсоциальный уровень собственной жизни…

Психотехнология «Волшебные родители», позволяющая это сделать, в моем варианте выглядит так.

1. *Как и всегда до этого, сначала определитесь с будущим. Хорошенько обдумайте, какой Результат вы хотите здесь получить и какими Эффектами от этого результата воспользоваться. Оцените, насколько они для вас являются доступными (по десятибалльной шкале).*
2. *В мысленном (а не на полу, с ОЛЖ) пространстве где-то перед собой создайте образы желаемого результата и искомого эффекта (себя, наслаждающегося ими), после чего последовательно войдите сначала в Результат, а потом и в Эффект для, так сказать, экологической проверки.*
3. *Теперь где-то позади себя вообразите ваше прошлое. Однако не ограничивайтесь только лишь точкой рождения, но пройдите это самое прошлое вплоть до момента зачатия.*
4. *Рядом с этим волнующим моментом представьте своих реальных родителей, причем именно в том возрасте, в котором они Там и Тогда и пребывали.*
5. *Поблагодарите их за участие в вашей жизни, но не премините посетовать на то, что из-за недостаточного их к вам внимания. Вам, в общем-то, достались не столько пироги и пышки, сколько синяки и шишки (какие, сами знаете…).*
6. *В связи с этим попросите разрешения на исправление вашей прошлой жизнедеятельности Волшебными Папой и Мамой.*
7. *Получив согласие реальных родителей, вообразите или просто увидьте) родителей Волшебных: самых лучших из всех возможных и единственно могущих задать вам верное направление жизни и создать истинный сценарий вашей жизнедеятельности.*

8. *Представьте любовный акт, предшествующий вашем зачатию; упоительное странствие с миллионами со перников — таких же как вы сперматозоидов, в поиска желанной яйцеклетки; радость победы с почти нереаль ными шансами на нее и, наконец, оргазм оплодотворения слияния Инь и Ян...*
9. *Тщательно отследите все перипетии своего абсолютн здорового развития в чреве Волшебной вашей мамы, посл чего легко, быстро и с удовольствием родитесь.*
10. *Насладитесь возможно неведомыми вам радостям детской, подростковой и юношеской жизни — такой которую вы всегда хотели иметь. И получите от Вол шебных Родителей все то, что возможно получит только в детстве, но и то при условии, что оно будет счастливым. Базовое доверие к миру. Способность доми нировать и вести за собой. Умение понимать, объяснят и объясняться. По сути, гибкую, но глубоко нравственну мораль, а также подлинные ценности и убеждения. Вы сокоэффективную и счастливую сексуальность. А такж способность быть подлинно независимым, а не тольк тем, от которого ничего не зависит...*
11. *«Довзрослейте» — однако строго под руководство Волшебных Родителей до Здесь и Теперь (т. е. просле дите, чтобы все завершилось в настоящем). Но пере тем, который тот вы сольется с этим вами, проверьте достаточно ли тот, другой, эффективен и счастлив.*
12. *Повторите все, что видели (и что подробно описано в п 8–11), но уже не просто наблюдая за происходящим, а актив но в нем участвуя (хотя все еще со стороны). Исправляйт и дополняйте все, что должно быть исправлено и дополне но — но не сами, а как бы подсказывая своим Волшебны родителям, куда им еще надо вмешаться и что — изменить*
13. *Закончив, войдите в себя на стадии сперматозоида проделайте свой новый жизненный путь, как говорится от начала и до конца (настоящего), наслаждаясь как бы придуманной вами, а на самом деле запланировано-под линной жизнью.*

14. *Поблагодарите Волшебных родителей и попросите их передать все необходимые опыт и знания по поводу вашей жизни родителям реальным.*
15. *Проведите их (реальных родителей) по новой своей жизненной дороге, обратив внимание ваших папы и мамы на все сделанные в ней изменения, после чего предложите им, уже постаревшим, занять место за вашей спиной, чтобы вы всегда чувствовали их поддержку. И проверьте, насколько достижимы стали теперь для вас будущие результат и эффект...*

Упражнение 31.

Отресурсируйте свою собственную жизнь, а точнее, свое прошлое и будущее.

Упражнение 32.

Устраните если и не все, то главные ограничивающие решения и убеждения.

Упражнение 33.

Стараясь не завязнуть в прошлом по самое «не могу», реимпринтируйте до сих пор саднящие занозой критические инциденты (точнее — связанные с ними психотравмы).

Упражнение 34.

Осуществите полноценный ЭНП-ребефинг.

Упражнение 35.

«Перепишите» свою жизнь с помощью Волшебных родителей.

ГЛАВА 5. ПСИХОТЕРАПИЯ НАДСОЦИАЛЬНОГО УРОВНЯ

И долгая жизнь, и короткая жизнь, всегда имеет один и тот же конец — вечную жизнь

Б. Тойшибеков

Однажды некий царь встретил на дороге мудреца и, как учтивый человек, поинтересовался тем, откуда он идет.

— Из ада, — ответил тот. — Потому что мне нужен был огонь, и я надеялся, что они поделятся со мной своим.

— Но я не вижу у тебя никакого огня, — удивлено заметил царь.

— Вот то-то и оно, — вздохнул мудрец. — Нет там у них никакого огня. Не держат они его. А тот, что горит в аду, каждый приносит с собой сам...

Этот — последний! — раздел данной книги будет самым коротким. Не потому, что мне нечего сказать по поводу надсоциального уровня жизни — на самом деле накопленных материалов хватит на целую серию весьма объемных произведений. А оттого, что уровня этого достигают ну очень немногие — буквально считанные проценты от живущих на этой Земле. Причем достигают не для того, чтобы еще более на ней упрочиться и обустроиться, а ровно наоборот: чтобы еще при жизни как бы оторваться от земной юдоли и подготовить себя к Переходу. В следующую жизнь и иную, более высокую реальность, увы, просто недостижимую для тех, кто не завершил свои отношения: с этой жизнью и этой реальностью. Поэтому нижеприведенные психотехнологии будут для вас чисто ознакомительными. Однако вполне достаточными для того, чтобы кое-что понять, а, может быть даже, и поменять в своей повседневной жизнедеятельности в плане стремления к Небу, о чем было сказано в самом начале этой книги...

Здесь мы, по сути, вторгаемся в Святая Святых. В не до конца разделяемое (а жаль!) современной наукой (но, к счастью, уже не всей…) предположение о том, что на самом деле мы все суть космические (бессмертные!) существа, временно вынужденные жить в человеческом (увы, смертном) теле. В область так называемой Вечной Философии, суть и сердцевину которой составляют следующие четыре утверждения.

1. Существуют две сферы реальности. Мир физических объектов, доступный органам наших чувств, и мир квантовых феноменов, в котором (а за которым) скрывается гораздо более тонкая и глубокая, но пока не слишком доступная для нас реальность: Сознания, Духа, Разума, Дао, Абсолюта, Бога и т. п.

2. Человек как существо входит в обе сферы. То есть мы суть не только физические, но и духовные существа. На физическом плане мы представлены своими телами. А на духовном — чем-то трансцедентным, что в различных религиозных, философских и психологических направлениях описывается как душа, божественная искра, Атман, природа Будды, чистое сознание, Разум, Дух, Сущность, Высшее или Истинное «Я».

3. Люди способны осознать свою Божественность и Космичность. Однако не путем книжных занудств и теоретических премудростей, а прямо и непосредственно в результате некоего квантового скачка или просто перехода, чаще всего именуемом Просветлением…

4. Это постижение есть величайшее благо и главная цель любого человеческого существования. Ничто другое не дарит больше экстатичности и блаженства. Ничто иное не вознаграждается в такой степени. И именно это постижение и есть то, к чему стремятся все великие религии. В которых оно известно как Самдхи, Сатори. Освобождение, Фана, Нирвана, Пробуждение, Руах Ха-хоудеш и т. п. Наверное, если я все-таки напишу следующую книгу, она будет посвящена этому и только этому. А пока попробуйте прикоснуться к собственной Божественности, осваивая четвертый — выпускной! — уровень человеческой жизни…

5.1. ОСВОБОЖДЕНИЕ ОТ ТЕНИ

...Но что же мне делать, если я наверное знаю, что в основании всех человеческих добродетелей лежит глубочайший эгоизм

Ф. Достоевский

Не вдаваясь в ну очень сложные рассуждения юнианского плана, примем здесь следующее «рабочее» определение Тени. Это нечто, что уводит вас от Бога (и осознания собственной божественности). Препятствует развитию вашей Духовности. Оттягивает («оттяпывает») и крадет энергию, которую вы могли бы посвятить своему Призванию. Тормозит на Пути, превращая его в унылую жизненную дорогу. Заставляет вас заниматься сиюминутным, отворачивая от Вечного…

Именно поэтому рассоединение с Тенью является совершенно необходимым (хотя далеко не всегда достаточным) условием перехода на надсоциальный уровень. Конкретно Тень может основываться на чем угодно (и в чем угодно проявляться): страхе, травме, боли, болезни и т. п. А представать (репрезентироваться) она способна как в теле (чаще всего), так и вне его (весьма редко). В виде опять-таки чего угодно, но обычно все-таки некоего образа (массы, предмета или даже человека), хотя иногда и символа (порой весьма пугающего). В любом случае, алгоритм *психотехнологии рассоединения с Тенью* выглядит следующим образом.

1. *Примите «позу жреца» и произнесите вслух (несколько раз, чтобы уж проняло так проняло) следующую фразу: «Я отдаюсь своей божественности и выбираю духовный путь мистической реальности, даже если в результате заболею, утрачу все взаимоотношения, лишусь любви и секса, потеряю работу и не буду иметь средств к существованию».*
2. *Отметьте появление тени в виде любого неприятного ощущения, которое «пробьет» вас или просто проявится опять-таки на любой стадии произнесения этой фразу. Оцените, насколько вероятно обретение вами с подобным отягощением следующего уровня развития (max = 10).*
3. *Определите, где вы в своем теле чувствуете эту Тень (это если она внутри) или связь с нею (это если она вовне).*

4. *Если вы все еще не можете репрезентировать (представить) эту свою Тень, положите обе ладони на место, где она ощущается, и дайте как бы возникнуть (или проникнуть) в вашем сознании (в ваше сознание) ее образу и/или символу.*
5. *А вот теперь вышагните из своего тела и хорошенько рассмотрите мысленным взором*
– *себя*
– *свою Тень*
– *вашу взаимосвязь (т. е. как вы с ней связаны).*
6. *Предложите своим рукам (по их усмотрению)*
– *«слепить» трехмерный образ тени*
– *ощутить (ощупать), как именно вы связаны (а иногда пойманы): канатом, трубкой, паутиной, световым шнуром и т. п.*
7. *Спросите о том, что хорошего подарила вам в прошлом (даже в очень далеком) ваша связь с Тенью. Каким образом она помогла вам адаптироваться и социализироваться? Что получить, что принять и что понять? Убедитесь, что вы вполне способны получить это другими способами и больше не нуждаетесь в поддержке со стороны, так сказать, «обратной (темной) стороны луны» (это я вспомнил название великого диска группы «Pink Floyd».*
8. *Обратитесь к той Самостоятельной Единицы Сознания, которая (из самых лучших побуждений) связала вас с Тенью, а сейчас поддерживает ваши отношения с ней, и убедите ее (см. гл. 2), что вы больше не нуждаетесь в таких услугах и предлагаете ей заняться чем-то другим (например, развитием вашей духовности).*
9. *Немного справа и спереди от вас создайте (например, вообразите и «слепите») Духовно Продвинутого Себя. Вас, но как бы из будущего и даже уже познавшего свои Главные цели, Миссию и Смысл своей (вашей) жизни. Вдохните жизнь в этого ДПС (буквально — физически) и, если хотите, ненадолго войдите в его, чтобы проверить «качество выполнения» и просто понять, как же это здорово.*

10. *Вернитесь в себя и уже слева, хотя и опять-таки чуть спереди (но бывает, что и сзади...) представьте Хозяина Тени: человека, существо или сущность, пришедшего за Тенью, дабы забрать ее с собой.*
11. *Спросите себя, не возражает ли какая-то из СЕС по поводу вашего грядущего рассоединения с Тенью и, если никто не возражает, мягко, используя волшебные руки, извлеките из себя ее (Тени) репрезентацию и вместе со связью передайте Хозяину. Пусть он присоединит Тень к себе так же, как она была присоединена к вам, и на ваших глазах уйдет с ней из вашего же мира.*
12. *Соединитесь с Духовно Продвинутым Собой тем же (но можно и любым другим) способом, которым вы были соединены с Тенью.*
13. *Попросите своего ДПС о помощи в развитии и буквально физически ощутите, как в вас входят направляемые им энергия, силы и знания.*
14. *Наполнитесь этими ресурсами и отметьте, что теперь вы думаете и чувствуете по поводу своей жизни, ее реалий и перипетий, а также надсоциального уровня развития.*
15. *Оцените, насколько теперь вам доступен следующий уровень вашей жизни (max = 10).*

5.2. ПРИКОСНОВЕНИЕ К БОЖЕСТВЕННОСТИ

> Что мы можем сказать о Боге? Ничего.
> Что мы можем сказать Богу? Все.
>
> М. Цветаева

Это несколько высокопарное наименование я присвоил психотехнологии, которая действительно позволяет как бы взлететь над «суетой сует» (Экклезиаст) бренной земной жизни. А еще — реально ощутить нечто бесконечное и вечное, связанное с тем миром, который, в общем-то, является для нас родным. Другой — подлинной! — стороной Бытия или Первичной (квантовой) реальностью...

Делается, однако, эта *психотехнология прикосновения к божес-ивенности* (Конечной реальности и т. п.) довольно просто, хотя и не всегда легко. Не менее простым выглядит ее описание, в связи с чем я на всякий случай приведу в конце этого раздела два листа записи ответов: пожилого чиновника и молодой бизнес-вумен (интересно, догадаетесь ли вы, кому какой лист принадлежит?).

1. *Определите любые два предмета, которые вам нравятся (не важно, где находятся эти предметы: дома, на работе или в ваших собственных карманах).*
2. *Спросите себя: «Символом или примером чего являются для меня эти вещи? Чему они служат и что дают?»*
3. *Обязательно запишите полученные ответы (не менее трех) и снова задайте себе вышеописанный вопрос, но уже по поводу этих ответов.*
4. *Делайте это шаг за шагом до тех пор, пока не дойдете до высших логических уровней и не увидите, услышите или ощутите в себе что-то похожее на Бесконечность и Чистое Бытие.*
5. *По очереди вспомните все основные контексты вашей жизни (ситуации собственной жизнедеятельности) и внесите в них VAKD этого Высшего.*
6. *Просмотрите запись своих ответов и разбейте их по девяти нейро-логическим уровням.*
7. *Проанализируйте то, что получилось.*

Лист № 1

Сотовый телефон Сумка из крокодиловой кожи

Свобода Безопасность Забота Удобство

Спокойствие Уверенность в себе
Контролируемость ситуации

Новые возможности Свобода в действиях

Желание жить, чтобы жить
Удовольствие от жизни как таковой

Самостоятельность Принятие решений за себя и других

Возможность понять и уловить смысл существования

Созерцание Мироощущение Бытие

Лист № 2

Секретер XIX века Картины на стенах
Уют и удобство обстановки Отдых для глаз *Память о событиях жизни*
Удовлетворение Удобство в труде *Красота ближайшего окружения* *Приятные воспоминания и размышления*
Полнота жизни Спокойствие Наслаждение
Одухотворенность Прекрасность мира
Победа разума Целесообразность
Счастливый человек в прекрасном мире

5.3. ВОЗВРАЩЕНИЕ ОЩУЩЕНИЯ СУЩНОСТИ

К Богу приходят не экскурсии с гидом, а одинокие путешественники

В. Набоков

Надеюсь, вы не забыли (если забыли, то вернитесь назад и посмотрите), что именно Сущность (предтеча Высшего «Я») в модели Р. Ассаджоли является тем идеалом, к познанию которого (и соединению с которым) мы стремимся на надсоциальном уровне жизни, осваивая мистическую реальность.

Однако слова словами, но, как говорится в известной восточной поговорке, «Сколько ни говори «халва!», во рту все равно сладко не станет»… Или, как в другой, уже моей метафоре: «Не так уж важно знать, из чего состоит пудинг — важно попробовать его на вкус». Так вот, *психотехнология возвращения ощущения сущности*, описанная ниже, позволит вам в буквальном смысле вкусить блаженное чувство того нуминозного и транцедентного, что традиционно понимается под высоким понятием Сущности с большой буквы (По: /3/, с изменениями).

1. *Возьмите любую свою проблему (для начала не слишком большую) и, как бы оказавшись Там и Тогда, где она была выражена более всего, ощутите ее бремя (например, отчаяние).*

2. *Теперь как бы выйдите из себя и увидьте себя, находящегося в проблемной ситуации. Кто тот вы, который со стороны смотрит на вас? И какой вы, который смотрит? (например: более спокойный).*
3. *Выйдите из себя более спокойного и посмотрите на этого себя. Кто вы, который смотрит? И какой вы? (например: отрешенный).*
4. *Повторяйте шаги пп. 2–3 до тех пор, пока... пока не исчезнете! Когда не останется никакого «Я», а на ум будет всплывать нечто вроде «Все — что — есть», «Господь Бог» и т. п.*
5. *Любым образом сохраните это состояние ощущения Сущности и используя ей, а не вам присущие Ресурсы (те самые, которые в сути своей являются результатом вашей связи с Истоком Всего Сущего), направьте их по цепочке идентичностей Отчаявшемуся Себе (это я в контексте примера). Дабы он понял, принял и познал, что все наши сиюминутные эмоции, которым мы придаем слишком большое значение, свойственны только лишь нашему Эго, но совершенно не присущи Сущности...*

5.4. ОСВОБОЖДЕНИЕ ПЕРСПЕКТИВЫ НЕОГРАНИЧЕННЫХ ДОСТИЖЕНИЙ

«Бога нет» — сказал человек и через несколько лет отправился к Богу

А. Рахматов

А это уже просто доподлинное название психотехнологии, озданной известнейшим американским специалистом в НЛП С. ндреасом «со товарищи» (если вы залезете в список упоминаеюй литературы в конце книги, то обнаружите, что сотоварищей ам ну очень много...). Каковая действительно как бы позволяет асширить пространственно-временные рамки нашей жизни, и, учетом того, что вы узнали ранее, внести в свою жизнедеятельость, в данный конкретный земной маршрут все необходимые ля жизни на надсоциальном уровне изменения...

Описание данной *психотехнологии освобождения перспективы неограниченных достижений,* впервые данное в /2/, настолько хорошо сделано, что я позволил себе его просто процитировать — но уже по другому источнику (/22/ с. 65–67).

«Часть 1. Большой образ — пространство

*1. **Самосознание**. Выберите подходящее время и место и задумайтесь над тем, каким образом вы присутствуете здесь и сейчас — почувствуйте свое тело, свою кожу и те участки, которые соприкасаются в данный момент со стулом, столом, с этим листом. Выясните, в каком месте вашего тела обычно покоится самосознание: в голове, в грудной клетке, в животе? Экспериментируйте, позволяя самосознанию перемещаться. Обращайте внимание на все изменения.*

*2. **Оставьте тело.** Почувствуйте, как сознание начинает продвигаться вверх и покидать ваше тело. Вскоре вы начнете ощущать, как вы легко возноситесь над своим телом. Представьте себе, что внизу вы видите себя и комнату со всеми ее мельчайшими деталями.*

*3. **Поднимитесь.** Вознеситесь еще выше, под самый потолок. Поднимитесь выше, на крышу вашего дома, чтобы вы могли наблюдать все здание и прилегающие к нему окрестности. Начните еще быстрее отдаляться от земли, увидьте весь город, реки, весь ландшафт. Почувствуйте, как вы все более отдаляетесь от земли, увидьте весь город, реки, весь ландшафт. Почувствуйте, как вы все более отдаляетесь от Земли, вверх, сквозь облака, и, наконец, под вами начинают вырисовываться контуры континентов. Вскоре вы увидите океаны и прекрасный земной шар. Увидьте Солнце и сверкающие, словно бриллианты, звезды. Всматривайтесь в поверхность Земли и в облака, окружающие ее. Это ваш дом. Смотрите на него. Увидьте мир без границ. Увидьте, что это действительно единый мир.*

*4. **Используйте данную перспективу.** С такой перспективы вы не видите своего тела, такого маленького, где-то там внизу, на поверхности огромной голубой планеты. Подумайте о какой-нибудь проблеме, которая волнует человека на Земле, и решите ее с данной перспективы. Какие идеи или возможности* *вы предложите с данной перспективы человеку, ищущему решения? Исследуйте пригодность данной перспективы столько времени, сколько сочтете нужным, и запомните то, что вы узнаете, чтобы позднее предложить это тому человеку на Земле.*

*5. **Спуститесь на Землю**. Начните спускаться вниз, на Землю. Вначале вы увидите очертания континентов, страну, в которой вы живете, ваш город. Наконец, вы приблизитесь к своему дому. Спуститесь через крышу и продолжайте спускаться, пока вы не «зависните» непосредственно у себя над головой.*

Часть 2. Большой образ — время

*1. **Увидьте временную линию своей жизни.** Несколько раз моргните, после этого вы должны увидеть собственную временную линию непосредственно под собой. Обратите внимание на прошлое и направление, в котором она устремляется, выходя из вашего сидящего тела. Затем увидьте будущее и его направление.*

*2. **Путешествуйте в будущее.** Начните путешествие над своей временной линией в будущее. В ходе путешествия в можете обойти определенные цели, которые были размещены вами на собственной временной линии в предыдущих упражнениях. Путешествуя, вы увидите, как осуществление каждой цели улучшает ваше будущее. Увидьте свое чувство успеха и удовлетворения. Вглядитесь еще дальше в будущее и увидьте как осуществление этой цели содействует дальнейшим достижениям. Взгляните на новые возможности лучшей жизни.*

Вы можете захотеть погрузиться в прошлый опыт, и, когда вы войдете в него и прикоснетесь к своим впечатлениям из прошлого, вас охватят некоторые из тех прекрасных чувств. Эти чувства могут послужить вам напоминанием о том, что однажды ваши мечты исполнятся. С растущим чувством удовлетворения от мысли о том, что мечты исполнятся, вы можете начать двигаться дальше более быстрыми темпами в будущее над временной линией своей жизни.

*3. **Исследуйте конец.** Если ваша линия времени заканчивается раньше, нежели бы вам хотелось, вы можете продлить* *ее до ста лет счастливой жизни в полном здравии. А тепер увидьте жизнь, наполненную творчеством, до самого конц вашей временной линии. Остановитесь у самого ее окончания Никто из нас не знает, что увидит в конце своей временной ли нии. Некоторые видят двери, другие стену или огонь, третьи – струящийся неясный свет. Чтобы вы ни увидели, оцените эт и попробуйте что-нибудь узнать об этом.*

4. Увидьте мудрость преклонного возраста. *Считается что после тридцати лет и на нашем лице обозначают лини нашей жизни. Взгляните на конец своей временной линии и увидь те там мудрого человека — это вы в будущем. Загляните в ег мудрое лицо и увидьте в нем богатый жизненный опыт, смот рите и слушайте очень внимательно, как важное сообщение ил знак хотят передать вам самое мудрое воплощение вас самих Даже если вы не до конца поймете этот знак, поблагодарит старое мудрое «я» за сообщение и встречу.*

5. Совершите просмотр жизни. *Оглянитесь на свою временную линию и взгляните на все прошедшие годы, на вес опыт прошлых лет. Совершите просмотр всей своей жизни Оцените разумом и сердцем, действительно ли это та жизнь которой вы хотели жить. Немногие люди задумываются на тем, является ли их жизнь отражением того, что было им запланировано, полностью ли она удовлетворяет их, отвечает ли она их ценностям. Уделите такому размышлению достаточ ное количество времени.*

6. Введите желаемые изменения. *Если вы ощущает необходимость ввести в свою временную линию какие-либо изменения, позвольте своему подсознанию помочь вам в этом Пусть ваше будущее заслонит мгла. В этой мгле пусть ваш осознанные желания соединятся с мудростью вашего подсозна ния. Когда вы увидите различные цвета, окрашивающие во мгл вашу временную линию, вы почувствуете, что совершаютс важные изменения. Вы будете удивлены быстрым окончанием процесса и восхищены как вашей новой временной линией, та и новой открывающейся перед вами жизнью.*

7. Вернитесь в настоящее. *Начните продвигаться на временной линией назад, к настоящему. В процессе продвижени* *вы можете пожелать просмотреть свое новое будущее. Сделайте это, примите и испытайте множество новых возможностей, какие выявляются на обратном пути к настоящему.*

8. ***Взгляните в прошлое.*** *Когда вы достигните настоящего, оглянитесь назад, на прошлое. Увидьте молодого «вы», который когда-то представлял себе ваше нынешнее существование. А теперь взгляните в будущее и увидьте будущего «вы», которым вы хотите стать. Помните, что этот будущий «вы» хочет выглядеть реально. Вернитесь в настоящее тело. Возьмите с собой все, о чем вы узнали. Дышите глубоко. Почувствуйте кончики пальцев, ступни; откройте глаза.»*

5.5. ОБРАЩЕНИЕ ЗА ПОМОЩЬЮ К ВЫСШИМ СИЛАМ

Бог — это надежда для храброго,
а не оправдание для трусливого

Плутарх

И последнее — однако только лишь в этой главе, части и книге, но отнюдь не в вашей жизни. О том, что буквально сплошь и рядом, даже самые закоренелые атеисты, в трудные минуты своей жизни бессознательно обращаются за помощью к Богу, вряд ли стоит упоминать. Тем более, что не всегда, но часто, к вящему удивлению, помощь эту они действительно получают: четко и недвусмысленно. Так вот, последние разработки в области нейропрограммирования позволили делать все это методично и методологично…

Да-да, я именно об этом феномене: получении помощи со стороны Высших Сил в измерении самой что ни есть объективной реальностью собственной жизни. Именно эти психотехнологии, так сказать венчают курс Мастера в нашем Институте. И для тех, кто уже прошел предшествующие ступени Практика и Специалиста, открывает удивительные возможности в сознательном управлении собственной жизнью…

Однако вам до этого еще, простите, далеко. Отчего я здесь позволю себе познакомить вас только с одной психотехнологией:

решения проблем подключением к Большому Полю (По: /9/, с изменениями). Которая, тем не менее, позволит вам разобраться с жизненными проблемами, которые традиционно считаются нерешаемыми…

1. *Выберите действительно серьезную (граничащую с безвыходностью и безысходностью) ситуацию из вашей нынешней жизни — разумеется ту, которую вы никак не можете решить (или на которую никак не можете решиться).*
2. *Найдите любую точку в пространстве, которая будет эту ситуацию представлять.*
3. *Войдите в эту ситуацию (в точку пространства) и ощутите все, что с ней связано (т. е. и безвыходность и безысходность). Оцените, насколько вы способны все это разрешить и преодолеть (max=10).*
4. *Выйдите из всего этого. Встаньте в позицию бесстрастного Наблюдателя (определите, где); сосредоточьтесь, одновременно расслабившись; откройтесь Полю; и, глядя, как бы через него на проблемную ситуацию, дайте возникнуть символу, который ее выразит и представит. Обратите внимание, что он никак не должен быть благостным и беспроблемным!*
5. *Определите (вчерне) желаемое для данной ситуации состояние (то, что вы хотели бы чувствовать и иметь вместо проблемы), выберите для него точку в пространстве, выйдите в эту точку и ощутите ЖС максимально полно и совершенно.*
6. *Позвольте возникнуть символическому образу, выражающему это желаемое.*
7. *Вернитесь в позицию Наблюдателя и откройтесь Большому Полю, которое как бы включает в себя (в том числе чисто пространственно) образы проблемного и желаемого). Создайте намерение найти ресурс, который позволит осуществить необходимую трансформацию и дайте возникнуть символу, этот ресурс выражающему.*
8. *Перенесите этот образ в теле и ощутите его соматическое (телесное) выражение, которое можете выразить движением или жестом.*

9. *Удерживая символический образ и его соматический эквивалент, снова войдите в точку ситуации — проблемы и ощутите позитивные изменения.*
10. *Захватив с собой образ и ощущение ресурса, а также все позитивное, что вы почувствовали, пройдите (перейдите) в точку желаемого состояния. Почувствуйте усиление позитивных ощущений.*
11. *Теперь, завершая работу, внесите символический образ ресурса и его соматический эквивалент в некую точку между проблемным и желаемым состоянием: с тем, чтобы все эти изменения как бы остались с вами навсегда и расширились до других безвыходных и безысходных ситуаций.*

УСПЕХОВ ВАМ В ВАШЕЙ ЭКЗИСТЕНЦИИ!

Упражнение 36.
Осуществите освобождение от Тени.

Упражнение_37.
Попробуйте прикоснуться к доступной для вас репрезентации Божественного.

Упражнение 38.
Верните ощущение Сущности.

Упражнение 39.
Освободите перспективы собственной жизни.

Упражнение 40.
Обратитесь за помощью к Высшим Силам.

СПИСОК УПОМИНАЕМОЙ ЛИТЕРАТУРЫ

1. Ассаджоли Р. «Психосинтез: теория и практика. От душевного кризиса к высшему "я"» Серия: Библиотека психологической литературы, М.: REFL-book; 1994 г.
2. Андреас С., Герлинг К., Фолкнер Ч., Халлбом Т., Мак-Дональд Р., Шмидт Д. Смит С. «Миссия НЛП», М.: Независимая ассоциация психологов-практиков, 1998.
3. Болстад Р., Хэмблетт М., Дайер-Хурайа К. «Pro-fusion. Модель изобилия и психического благополучия. НЛП и энергетические практики Востока», М.: Издательство: София; 2004 г.
4. Волкер В. «Проект НЛП: исходный код», М.: «Маркетинг», 2002.
5. Волченко В. «Миропонимание и экоэтика XXI века. Наука — Философия — Религия», М.: Изд-во МГТУ им. Н. Э. Баумана, 2001.
6. Вольф Ф. «Сновидящая вселенная. Расширение сознания или Там, где встречается Дух и Материя», М.: Постум, 2009.
7. Деркс Л., Холландер Я. «Сущность НЛП», М.: КСП+, 2000.
8. Дилтс Р. «Фокусы языка», СПб.: Питер, 2000
9. Дилтс Р., Делазье Дж. «НЛП–2: поколение Next», СПб.: Питер, 2012–11–03
10. Гиллиген С. «Терапевтические трансы. Руководство по эриксоновской гипнотерапии», М.: Независимая фирма «Класс», 1997.
11. Гиллиген С., Дилтс Р. «Путешествие героя: путь открытия себя», М.: Психотерапия, 2012.
12. Змановская Е. «Современный психоанализ. Теория и практика», СПб.: Питер, 2011.
13. Зеленский В. «Аналитическая психология. Словарь», СПб.: Б.С.К., 1996.
14. Каптен Ю. «Основы медитации», Самара: ИЧП «АВС», 1994.
15. Кинг М., Цитренбаум Ч. «Экзистенциальная гипнотерапия», М.: Независимая фирма «Класс», 1998.
16. Ковалев С. «НЛП эффективного руководства», РнД.: Феникс, 2005.
17. Кроник А., Ахмеров Р. «Каузометрия. Методы самопознания, психодиагностики и психотерапии в психологии жизненного пути», М.: Смысл, 2003.

18. Леонард Д., Лаут Ф. «Ребефинг», Центр самосовершенствования "Breathe", 2000.
19. Макаров В., Макарова Г. «Транзактный анализ — восточная версия», М.: Академический проект, ОППЛ, 2002.
20. Мак-Таггарт Л. «Поле: поиск тайных сил вселенной», СПб, ИГ «Весь», 2007.
21. Перселл П. «Рецепты наслаждения», Екатеринбург, из-во «Литур», 2004.
22. Путеводитель по НЛП. Толковый словарь терминов. Сост. В. Морозов, Челябинск: Библиотека А. Миллера, 2001.
23. Саймонтон К., Саймонтон С. «Возвращение к здоровью. Новый взгляд на тяжелые болезни», СПб.: Питер, 1995.
24. Стюарт Я., Джоннс В. «Современный транзактный анализ», СПб.: Социально-психологический центр, 1996.
25. Холл М., Боденхамер Б. «Полный курс НЛП», СПб.: Прайм-ЕВРОЗНАК, 2007.
26. Хорни К. «Наши внутренние конфликты. Конструктивная теория невроза./Психоанализ и культура. Истинные труды Карен Хорни и Эриха Фромма», М.: Юрист, 1995.
27. Фанч Ф. «Преобразующие диалоги», Киев, Ника-центр, Вист-С, 1997.
28. Шапиро Ф. «Психотерапия эмоциональных травм с помощью движений глаз», М.: Независимая фирма «Класс», 1998.
29. Юревич А., Ушаков Д. «Экспертная оценка динамики психологического состояния российского общества: 1981–2011», Вопросы психологии, май-июнь 2012.
30. Ялом И. «Экзистенциальная психотерапия», М.: Независимая фирма «Класс», 1999.
31. Янг П. «Метафоры и модели изменения. Постигаем искусство НЛП», М.: Изд-во Эксмо, 2003.

ДЛЯ ЗАМЕТОК

ДЛЯ ЗАМЕТОК

СОДЕРЖАНИЕ

Часть II. Психотерапия

ОБ АВТОРЕ

КОВАЛЕВ СЕРГЕЙ ВИКТОРОВИЧ

Психолог, психотерапевт, консультант по управлению, политический консультант.

Доктор психологических наук, профессор, доктор философии. Психотерапевт Всемирного и Европейского регистров. Генеральный директор Института Инновационных Психотехнологий, научный руководитель Центра Практической Психотерапии.

Расписание тренингов

Даты проведения	*Тематика*	Сертификация
08-09 февраля 2014 г.	*Работа: обретение, оптимизация, самоактуализация*	Специалист
01-02 марта 2014 г.	*Психотерапия Самостоятельных Единиц Сознания. Базовые психотехнологии*	Практик
29-30 марта 2014 г.	*Психотерапия материального благополучия: стратегический и тактический маркетинг любой продукции и услуг*	Специалист
19-20 апреля 2014 г.	*Психотерапия Самостоятельных Единиц Сознания. Продвинутые психотехнологии*	Практик
17-18 мая 2014 г.	*Изменение сценариев жизнедеятельности*	Практик
31 мая - 1 июня 2014 г.	*Дизайн человеческого совершенства*	Практик
21-22 июня 2014 г.	*Интеграция мастерства: Работа по модулю Ковалева*	Практик
06-07 сентября 2014 г.	*Введение в другую жизнь. Психотехнологии быстрого решения проблем здоровья, взаимоотношений, любви/секса, работы и денег*	Практик
27-28 сентября 2014 г.	*Нейротрансформинг интуитивных прозрений. Диалоговая работа с бессознательным. Чтение знаков Судьбы*	Мастер
18-19 октября 2014 г.	*Основы психокоррекции. Современные психотехнологии улучшения реакций на окружение, состояний, способов поведения, убеждений и образов "Я"*	Практик
08-09 ноября 2014 г.	*Символодрама. Исследование образов и символов в психотерапии и консультировании*	Мастер

06-07 декабря 2014 г.	*Системное консультирование и психотерапия воплощений. Психотехнологии осуществления желаемого*	Практик - Специалист
27-28 декабря 2014 г.	*Трансформейшн Наведение и утилизация трансовых состояний. Психотехнологии современного гипноза*	Мастер
17-18 января 2015 г.	*Психотерапия личной истории и азы изменения сценариев жизнедеятельности*	Практик
07-08 февраля 2015 г.	*Дизайн субъективной реальности. Психотехнологии создания подлинного внутреннего благополучия*	Мастер
28 февраля - 01 марта 2015 г.	*Психотерапия Самостоятельных Единиц Сознания. Базовые психотехнологии*	Практик
28-29 марта 2015 г.	*Психотерапия Социальной Панорамы*	Мастер
18-19 апреля 2015 г.	*Психотерапия Самостоятельных Единиц Сознания. Продвинутые психотехнологии*	Практик
16-17 мая 2015 г.	*Изменение сценариев жизнедеятельности*	Практик
30-31 мая 2015 г.	*Дизайн человеческого совершенства*	Практик
20-21 июня 2015 г.	*Интеграция мастерства: Работа по модулю Ковалева*	Практик
05-06 сентября 2015 г.	*Введение в другую жизнь. Психотехнологии быстрого решения проблем здоровья, взаимоотношений, любви/секса, работы и денег*	Практик
26-27 сентября 2015 г.	*Психотерапия эгосостояний, идентичностей и субличностей*	Мастер
17-18 октября 2015 г.	*Основы психокоррекции. Современные психотехнологии улучшения реакций на окружение, состояний, способов поведения, убеждений и образов "Я"*	Практик

07-08 ноября 2015 г.	*Тотальная психотерапия сценариев: экзистенциальный и психогенетический подходы*	Мастер
05-06 декабря 2015 г.	*Системное консультирование и психотерапия воплощений. Психотехнологии осуществления желаемого*	Практик - Специалист
26-27 декабря 2015 г.	*Психогенетическая психотерапия. Работа с синдромом предков и прошлых воплощений*	Мастер
16-17 января 2016 г.	*Психотерапия личной истории и азы изменения сценариев жизнедеятельности*	Практик
06-07 февраля 2016 г.	*Психотехнологии перехода: от утилитарности к мистичности*	Мастер
27-28 февраля 2016 г.	*Психотерапия Самостоятельных Единиц Сознания. Базовые психотехнологии*	Практик
26-27 марта 2016 г.	*Интеграция мастерства: Психотехнологии управления реальностью*	Мастер
16-17 апреля 2016 г.	*Психотерапия Самостоятельных Единиц Сознания. Продвинутые психотехнологии*	Практик
14-15 мая 2016 г.	*Изменение сценариев жизнедеятельности*	Практик
28-29 мая 2016 г.	*Дизайн человеческого совершенства*	Практик
18-19 июня 2016 г.	*Интеграция мастерства: Работа по модулю Ковалева*	Практик

Библиографическая справка

(книги С.В. Ковалева по НЛП,
Восточной версии нейропрограммирования
и нейротрансформингу)

1. «Исцеление с помощью НЛП» М.: «КСП+», 1999, 2001, 2007
2. «НЛП: перепрограммирование собственной судьбы» М.: «КСП+», 2000, 2002, М.: «Профит Стайл», 2008.
3. «Основы нейролингвистического программирования». Учебное пособие. М.: Флинта, 1999 г.; Москва-Воронеж: НПО «Модэк», 2001.
4. «Психотерапия личной истории и психокоррекция Самостоятельных Единиц Сознания» Москва-Воронеж: НПО «Модэк» 2001.
5. «Семь шагов от пропасти. НЛП-терапия наркотических зависимостей» (Москва-Воронеж: НПО «Модэк», 2001.
6. «НЛП педагогической эффективности» Москва-Воронеж: НПО «Модэк», 2001.
7. «Введение в современное НЛП». М: Флинта, 2002.
8. «НЛП человеческого совершенства» М.: «КСП+», 2003, 2007
9. «Семь шагов от пропасти. НЛП-терапия наркотических зависимостей, а еще стандартизированный модуль любых высокоэффективных преобразований себя и других» М,: «КСП+» 2003.
10. «Введение в современное НЛП». Издание 2-е дополненное М: Флинта, 2004.
11. «Основы НЛП или введение в человеческое совершенство» 3-е издание – дополненное. Ростов-на-Дону, «Феникс», 2004
12. «НЛП эффективного руководства». Ростов-на-Дону, «Феникс», 2004, 2005, 2007.
13. «Самоисправление Хромой Судьбы или как взять бразды управления жизнью в собственные руки». Книга первая цикла «Коды вашей судьбы». Ростов-на-Дону., Феникс, 2006.
14. «Мы родом из Страшного детства или как стать хозяином своего прошлого, настоящего и будущего». Книга вторая цикла «Коды вашей судьбы». Ростов-на-Дону, Феникс, 2006.

15. «НЛП-консалтинг. Введение в человеческое благополучие». Книга первая цикла «Восточная версия нейропрограммирования», М.: Психолого-социальный институт, 2006; М.: Профит Стайл, 2010.

16. «На врача надейся, а сам не плошай» «Пошли болезнь на…». М: «Астрель», 2007. — 386 с.

17. «НЛП-психокоррекция. Психотехнологии благополучия, совершенства и удачливости». Книга вторая цикла «Восточная версия нейропрограммирования», М.: Психолого-социальный институт, 2007.

18. «Основы нейролингвистического программирования». 4-е издание – дополненное и переработанное. М., КСП+, 2007.

19. «Введение в современное НЛП». 3-е издание – дополненное и переработанное, М., «Профит Стайл», 2007.

20. «Психотерапия личной истории. Психотехнологии изменения прошлого и оптимизации будущего». Книга третья цикла «Восточная версия нейропрограммирования, М., Психолого-социальный институт, 2008.

21. «Введение нейротрансформинг». М.: КСП+, 2008; М.: «Профит Стайл», 2011, «Твои Книги», 2013.

22. «Основы нейротрансформинга». М.: КСП+, 2009; М.: Профит Стайл 2012.

23. «Нейротрансформинг. Основы самоконсультирования». М.: Профит Стайл, 2011.

24. « Команда нашего «Я»». М.: Твои книги, 2012.

25. «Как жить, чтобы жить, или основы экзистенциального нейропрограммирования». М.: Твои книги, 2013.

Научное издание

Ковалев Сергей Викторович

КАК ЖИТЬ, ЧТОБЫ ЖИТЬ

ИЛИ ОСНОВЫ ЭКЗИСТЕНЦИАЛЬНОГО НЕЙРОПРОГРАММИРОВАНИЯ

Компьютерный набор
Е.С. Ковалева

ООО «Твои книги»
Тел. 8 (915) 284-08-99
E-mail: tvoi-knigi@yandex.ru
www.nashiknigi.ru

Подписано в печать 17.08.14.
Формат 84×108/32. Гарнитура Times. Бумага офсетная.
Печать офсетная. Усл. печ. л. 7,5. Тираж 2000 экз.
Заказ № ВЗК-00941-15.

Отпечатано в ОАО «Первая Образцовая типография»,
филиал «Дом печати - ВЯТКА» в полном соответствии
с качеством предоставленных материалов.
610033, г. Киров, ул. Московская, 122.
Факс: (8332) 53-53-80, 62-10-36
http://www.gipp.kirov.ru, e-mail: order@gipp.kirov.ru